視覚素材問題

1

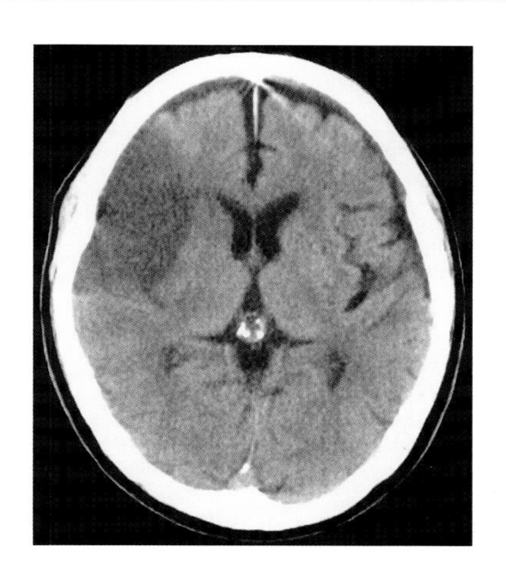

問題は P.65

2

1.

2.

3.

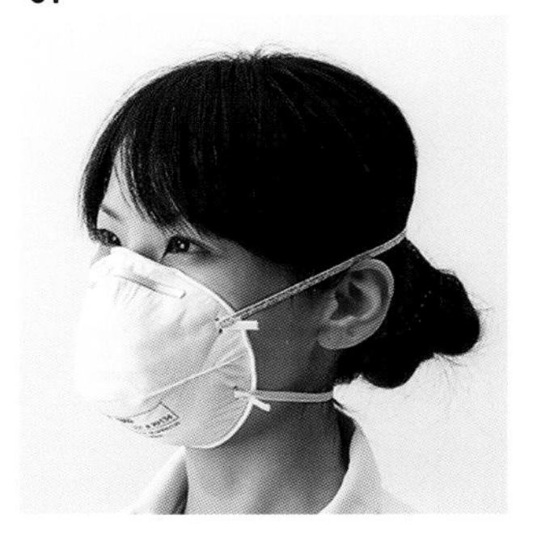

4.

5.

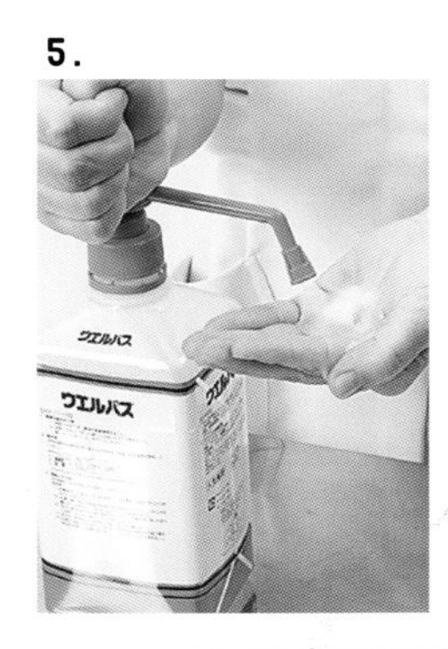

問題は P.65

1 写真提供（敬称略）：玉城允之（親和会西島病院 脳神経内科　部長）
2 写真提供（敬称略）：新見明子（川崎医療短期大学　教授）

3

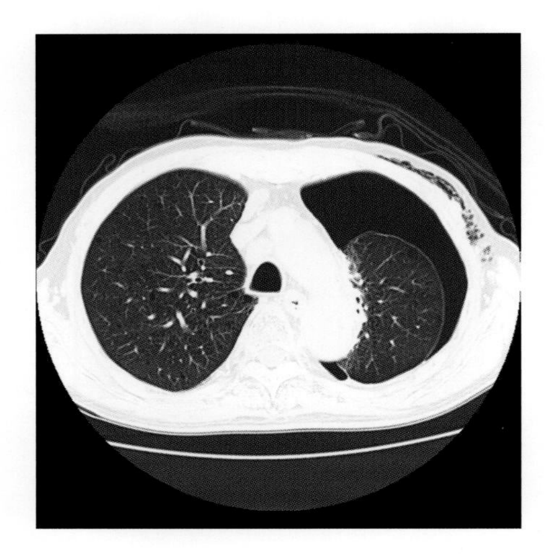

問題は P.66

4

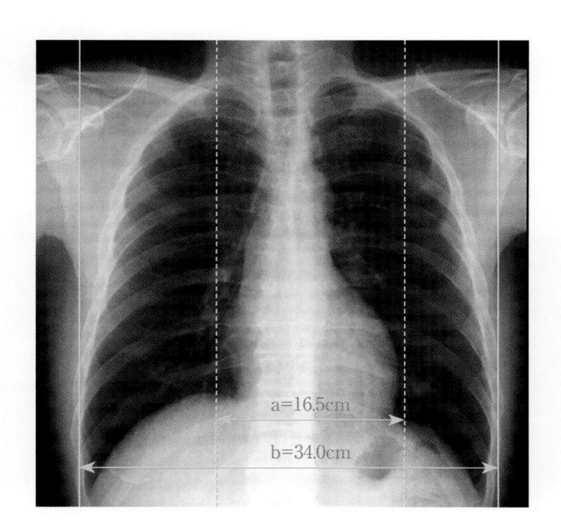

問題は P.66

5

1.

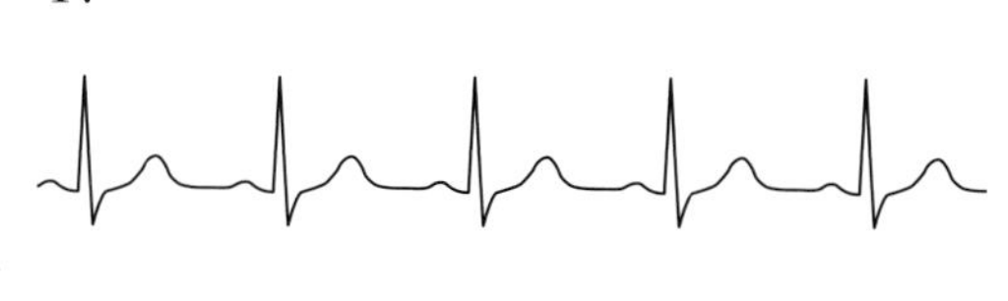

2.

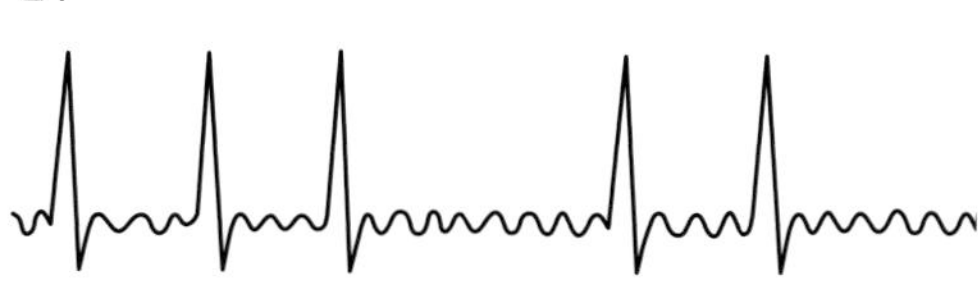

3.

4.

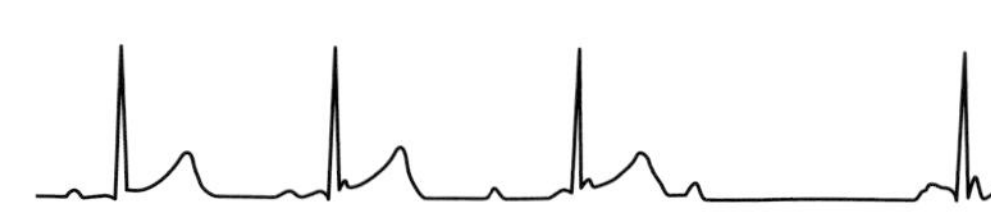

5.

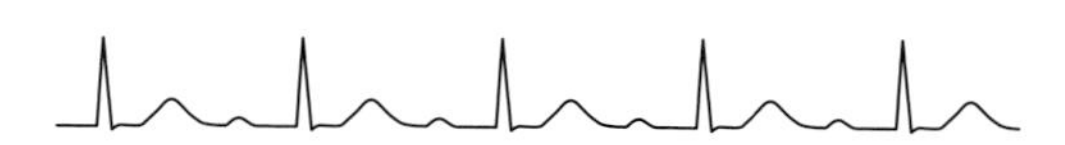

問題は P.67

6

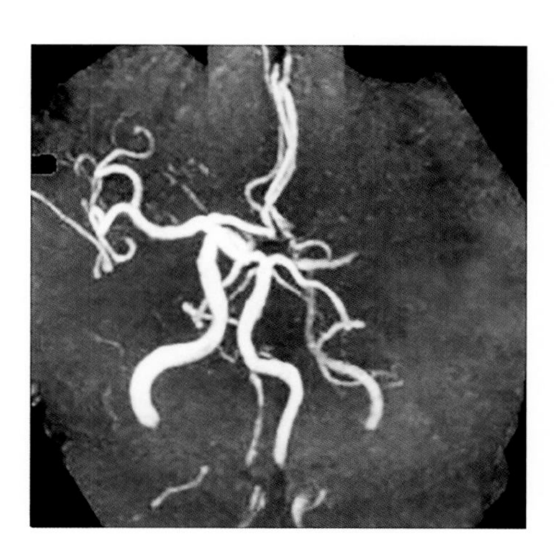

問題は P.68

7

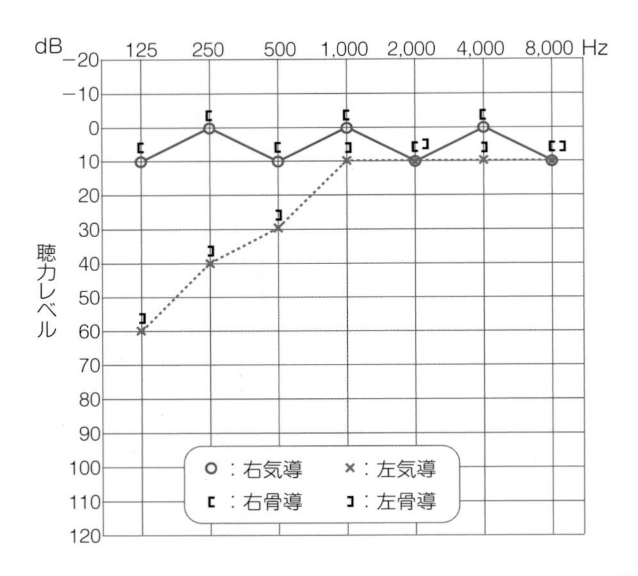

問題は P.69

8

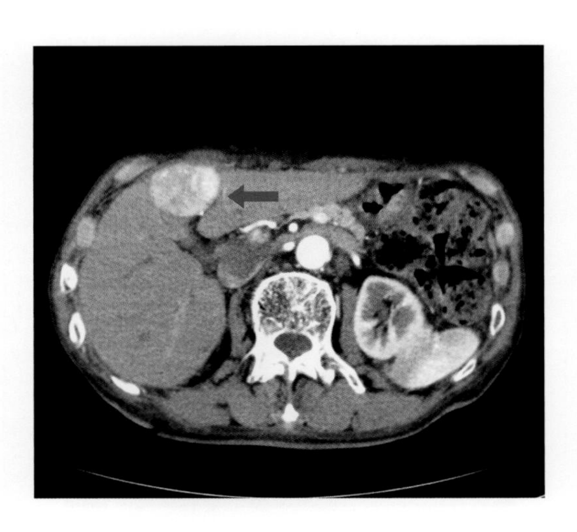

問題は P.69

 写真提供（敬称略）：中澤学（埼玉医科大学病院 消化器内科・肝臓内科）

看護師国家試験

ぜんぶ 5肢!の予想問題集

第5版

メヂカルフレンド社

編集　メヂカルフレンド社編集部
編集協力　フラピエかおり　株式会社 Nurse Style Biz 代表取締役
デザイン　岩永香穂（MOAI）
イラスト　北原功、スタートライン、さとうかおり

はじめに

皆さん、はじめまして。

皆さんは今、看護学生として毎日机上学習、実習に追われる毎日を送っていることでしょう。その一方で、来るべき看護師国家試験に向けた学習を意識している人もいるかもしれません。

さて、その看護師国家試験では、第 98 回試験から5肢択一、択二問題が導入されました。「5肢問題」というのは、選択肢が5つある問題で、「択一」はそのうちの正解が一つの問題、「択二」は正解が二つある問題です。

近年は毎年一定数の5肢問題が出題されていて、合格するためには落とせない問題です。ですが5肢問題は、選択肢が多いぶん知識が定着されないと得点が難しいと言われています。

そこでこの問題集を活用して、苦手になりやすい5肢問題を攻略しましょう。

これから国試対策を始める低学年の学生さんにも、国試を迎えようとする最高学年の皆さんにもお勧めします。

本書が皆さんのお役にたつことを願っています。

フラピエかおり

5肢問題に強くなろう！

5肢問題の正解を導くためのポイント

1. 基礎知識を丁寧に学習し、暗記しておくことが大切です。
2. 4肢の過去問題が5肢に形を変えて出題されているものも散見されます。
過去問題を丁寧に学習しておくことが大切です。
3. 焦らずに、周辺知識を思い起こしながら解いていくトレーニングをしましょう。

本試験までの学習対策

~11月

- **過去問題集1冊を全ページ最低でも1周解きましょう。**
- **模試について**

・模試を受験した場合は、そのままにせず、見直しをしましょう。
・どうして間違えたのか。うろ覚えの部分はないか。暗記の単語帳や自己ノートに情報を残しましょう。

- **過去の国家試験問題について**

・各分野の事前学習をする際に過去問題も同時に解いておくことをお勧めします。
・実習中に受け持つ患者さんの病態、症状、検査、治療なども、必ず実習終了後に復習をしておきましょう。
・検査データの持つ意味を理解し、正常値を暗記しましょう。そして、低値、高値が何を示すのか学習しておきましょう。暗記の単語帳や自己ノートを作成することをお勧めします。

12月

- **知識の確認をします**

・自己ノートを見直しながら、暗記が完了しているか確認しましょう。
・クラスメイトとそれぞれの知識の欠落部分を指摘し合いましょう。
・過去問題集をもう一度、すべて解きなおしましょう。

1月

ラストスパートです

- **模試について**

・模試が数回入ってくる人も多いと思います。点数も上昇してきます。それでも、丁寧に自分の弱点を見定めながら、見直しをしましょう。

2月

本番です。身体的、精神的な自己管理が必要です

- **焦らないように、慌てないようにしましょう。**

・自分のこれまでの作業の成果を認めながら本番を迎えましょう。大丈夫!!

CONTENTS

本問題集の特徴と使い方

- 本問題集は、全250題（必修問題25題、5肢択一問題100題、5肢択二問題100題、状況設定問題15題、視覚素材問題10題）の予想問題をバランスよく収載しています。必修問題も状況設定問題も視覚素材問題も、もちろんすべて5肢問題です。
- 充実の問題数と詳しくていねいな解説で、初めて予想問題に取り組む人にも、試験に向けて力試しをしたい人にも、幅広くお使いいただけます。もちろん、ふだんの学習の補助としてもご活用いただけます。

問題

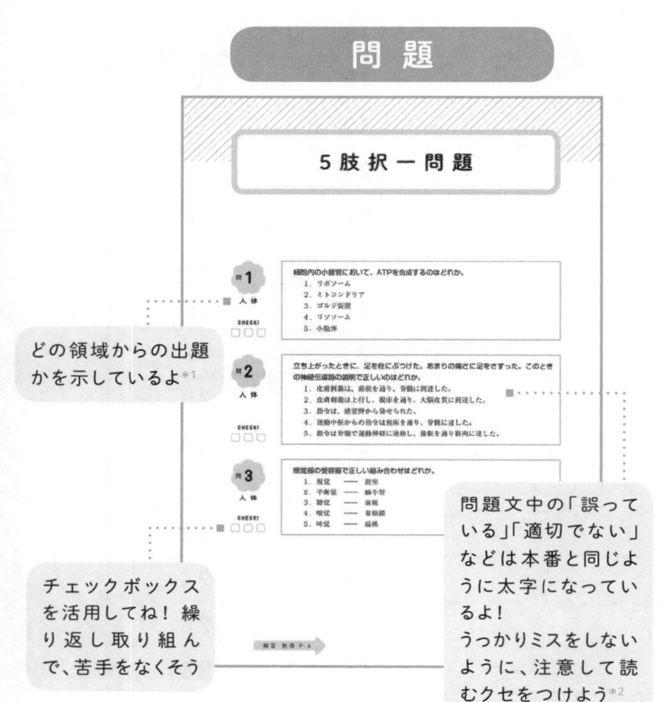

どの領域からの出題かを示しているよ*1

チェックボックスを活用してね！繰り返し取り組んで、苦手をなくそう

問題文中の「誤っている」「適切でない」などは本番と同じように太字になっているよ！
うっかりミスをしないように、注意して読むクセをつけよう*2

解答・解説

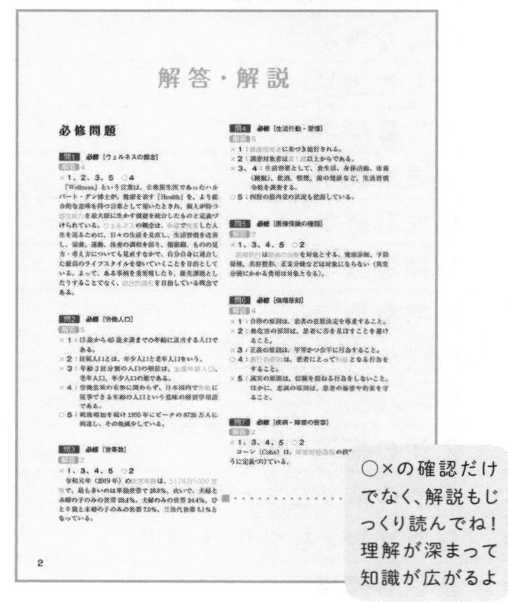

○×の確認だけでなく、解説もじっくり読んでね！理解が深まって知識が広がるよ

巻頭カラー

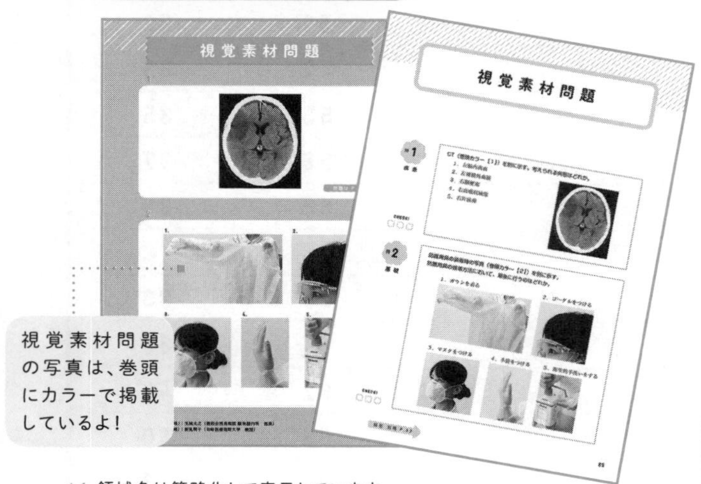

視覚素材問題の写真は、巻頭にカラーで掲載しているよ！

解答用紙

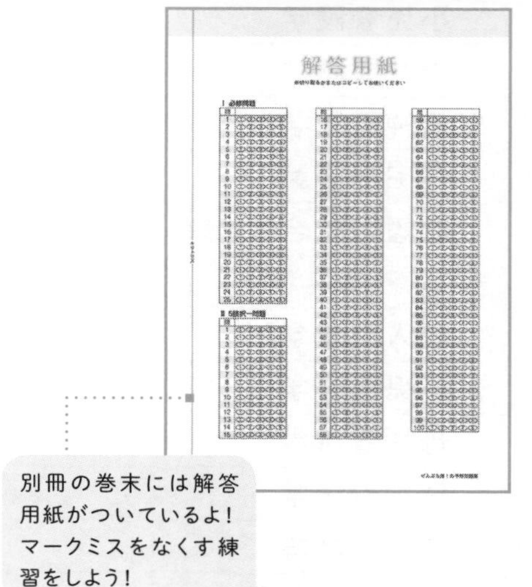

別冊の巻末には解答用紙がついているよ！マークミスをなくす練習をしよう！

*1 領域名は簡略化して表示しています
*2 予想問題は難易度を少し高めに設定しています。焦らず取り組みましょう

必修問題

問 1

ウェルネスの概念について適切なのはどれか。

1．ヘルス（健康）と対比する概念である。
2．運動習慣を重要課題としている。
3．食生活改善を優先している。
4．充実した人生を送ることを含んでいる。
5．寿命を延ばすことが目的である。

CHECK!

問 2

生産年齢人口について正しいのはどれか。

1．18～64歳までの年齢である。
2．従属人口を含んでいる。
3．老年人口を下回っている。
4．労働する意思の有無を反映する。
5．1995年をピークに減少している。

CHECK!

問 3

令和元年（2019年）の世帯構造で最も多いのはどれか。

1．単独世帯
2．夫婦のみの世帯
3．夫婦と未婚の子のみの世帯
4．ひとり親と未婚の子のみの世帯
5．三世代世帯

CHECK!

解答 別冊 P.2

国民健康・栄養調査で正しいのはどれか。

1．健康保険法に基づき実施されている。
2．調査の対象には０歳も含まれる。
3．飲酒、喫煙などの嗜好は調査の対象ではない。
4．歯の健康は含まれない。
5．高齢者の筋肉量の状況も含まれる。

CHECK!

医療保険の給付の対象となるのはどれか。

1．健康診断
2．疾病の診察
3．予防接種
4．美容整形
5．正常な分娩

CHECK!

看護の倫理原則で、「患者に利益をもたらす看護行為」を示しているのはどれか。

1．自律の原則
2．無危害の原則
3．正義の原則
4．善行の原則
5．誠実の原則

CHECK!

交通事故で、対麻痺となった20歳男性。事故のショックから立ち直り、リハビリが開始された。自力で立ち上がれないことにいらだち、担当の理学療法士に「訓練が非効率的だ、指導の仕方がよくない」と、不満をぶつけている。この患者の障害受容過程において、該当する段階はどれか。

1．ショック
2．防衛
3．回復への期待
4．悲嘆
5．適応

CHECK!

解答 別冊 P.2〜3

CHECK!

成長発達において、一番早く出現するのはどれか。

1．大泉門の閉鎖
2．頭囲と胸囲が一致
3．乳歯の萌出
4．体重が出生時の３倍
5．身長が出生時の２倍

CHECK!

学童期の発達課題はどれか。

1．基本的信頼
2．主導性
3．自律性
4．勤勉感
5．アイデンティティの確立

CHECK!

医療提供施設に**該当しない**のはどれか。

1．病院
2．保健所
3．診療所
4．介護老人保健施設
5．助産所

問11

CHECK!

栄養サポートチーム（nutrition support team；NST）を構成するメンバーで関連が低いのはどれか。

1．医師
2．看護師
3．介護支援専門員
4．管理栄養士
5．言語聴覚士

解答 別冊 P.3

問12

自律神経の統合中枢があるのはどれか。

1．大脳
2．間脳
3．中脳
4．小脳
5．延髄

CHECK! □□□

車軸関節にあたるのはどれか。

1．肩関節
2．肘関節
3．正中環軸関節
4．股関節
5．腕尺関節

CHECK! □□□

血清に含まれる物質はどれか。

1．ナトリウムイオン
2．赤血球
3．白血球
4．フィブリノゲン
5．ヘモグロビン

CHECK! □□□

血管に吸収される栄養素はどれか。

1．フルクトース
2．グリコーゲン
3．マルトース
4．ラクトース
5．スクロース

CHECK! □□□

問16

アナフィラキシーショックの徴候で正しいのはどれか。

1．顔面蒼白
2．末梢血管拡張
3．血圧上昇
4．気道拡張
5．尿量増加

CHECK! □□□

解答 別冊 P.3～4

問17

高張性脱水で上昇するのはどれか。

1. 血圧
2. 尿量
3. 唾液分泌
4. 皮膚弾力性
5. 血漿浸透圧

CHECK!

問18

抗凝固剤が入っていない採血管を用いる検査項目はどれか。

1. 赤血球数
2. 血液型
3. ヘモグロビン値
4. コレステロール値
5. 血小板数

CHECK!

問19

副腎皮質ステロイド薬の有害事象はどれか。

1. 低血糖
2. 骨髄抑制
3. 呼吸抑制
4. 聴力障害
5. 消化管潰瘍

CHECK!

問20

呼吸音で連続性副雑音が聴取される疾患はどれか。

1. 肺水腫
2. 気管支喘息
3. 自然気胸
4. 胸膜炎
5. 肺気腫

CHECK!

問21

成人女性に膀胱留置カテーテルを挿入するときの手技について正しいのはどれか。

1. カテーテル挿入の長さは3～4cmである。
2. 尿流出確認後、その位置で固定する。
3. 固定用バルーンには生理食塩水を注入する。
4. 蓄尿バックは挿入部より上に保つ。
5. 固定箇所は大腿内側とする。

CHECK!

解答 別冊 P.4

看護師のボディメカニクスで**誤っている**のはどれか。

1．基底面を広くとる。
2．大きな筋群を使う。
3．対象に近づく。
4．腰を曲げて膝を伸ばす。
5．重心線は基底面内を貫くように動く。

CHECK!

スタンダードプリコーションの対象はどれか。

1．爪
2．汗
3．傷のない皮膚
4．傷のない粘膜
5．頭髪

CHECK!

0.05g/10mLと表示された薬剤をシリンジポンプで、5時間で注入する。1時間あたり注入される薬剤量で正しいのはどれか。

1．1mg
2．5mg
3．10mg
4．50mg
5．100mg

CHECK!

問25

鼻腔カニューラで酸素流量3L/分で吸入したときの酸素濃度の近似値はどれか。

1．10%
2．20%
3．30%
4．40%
5．50%

CHECK!

解答 別冊 P.5

5肢択一問題

問1 人体

CHECK!

細胞内の小器官において、ATPを合成するのはどれか。

1．リボソーム
2．ミトコンドリア
3．ゴルジ装置
4．リソソーム
5．小胞体

問2 人体

CHECK!

立ち上がったときに、足を柱にぶつけた。あまりの痛さに足をさすった。このときの神経伝導路の説明で正しいのはどれか。

1．皮膚刺激は、前根を通り、脊髄に到達した。
2．皮膚刺激は上行し、視床を通り、大脳皮質に到達した。
3．指令は、感覚野から発せられた。
4．運動中枢からの指令は視床を通り、脊髄に達した。
5．指令は脊髄で運動神経に連絡し、後根を通り筋肉に達した。

問3 人体

CHECK!

感覚器の受容器で正しい組み合わせはどれか。

1．視覚 ―― 鼓室
2．平衡覚 ―― 蝸牛管
3．聴覚 ―― 前庭
4．嗅覚 ―― 鼻粘膜
5．味覚 ―― 扁桃

解答 別冊 P.6

人 体

CHECK!

脈管系について正しいのはどれか。

1．動脈と静脈は同じ３層構造である。
2．中膜は結合組織である。
3．骨格筋の収縮は動脈血流を助けている。
4．胸管は脂肪成分を運搬し、動脈に合流する。
5．動脈性塞栓症で閉塞するのは肺動脈である。

人 体

CHECK!

血液について正しいのはどれか。

1．遠心分離すると２層に分かれる。
2．細胞成分で最も多いのは白血球である。
3．細胞成分は骨髄で産生される。
4．液体成分からフィブリノゲンを除いたものが血漿である。
5．液体成分に含まれるタンパク質で最も多いのはグロブリンである。

問 6

人 体

CHECK!

体液の酸塩基平衡について正しいのはどれか。

1．呼吸性アシドーシスの原因として過換気症候群がある。
2．呼吸性アルカローシスでは重炭酸イオン（HCO_3^-）が増加する。
3．代謝性アシドーシスでは重炭酸イオンが増加する。
4．代謝性アルカローシスでは代償作用として呼吸が抑制される。
5．動脈血pHの正常値は7.4±0.5である。

問 7

人 体

CHECK!

免疫の働きについて、関連する正しい組み合わせはどれか。

1．形質細胞 ―― 抗原提示
2．キラーT細胞 ―― 液性免疫
3．マクロファージ ―― 抗体産生
4．IgG ―― 胎盤通過性
5．IgA ―― 分子量が大きい

問 8

人 体

CHECK!

消化について正しいのはどれか。

1．ガストリンは胃液分泌を抑制する。
2．胃液に含まれる消化酵素は炭水化物を分解する。
3．胆汁は脂肪分解酵素を含んでいる。
4．アミノペプチダーゼは膵液に含まれる。
5．糖質は単糖類の形で小腸から吸収される。

解答 別冊 P.6～7

問9 人体

CHECK!

肝臓について正しいのはどれか。

1．肝門から、固有肝動脈、肝静脈、肝管が出入りする。
2．肝臓は、肝小葉が機能単位である。
3．肝臓は動脈血が多い。
4．アンモニアを処理するクエン酸回路があり、尿素につくり替える。
5．胆汁を生成した後、貯蔵する。

問10 人体

CHECK!

消化管ホルモンについて正しいのはどれか。

1．GLP-1は膵臓から分泌される。
2．GIPはインスリンの分泌を促進させる。
3．ガストリンは胃液分泌を抑制する。
4．コレシストキニンは胃の運動を促進させる。
5．セクレチンは胆嚢を収縮させる。

問11 人体

CHECK!

ボウマン嚢に存在し、尿には存在しない物質はどれか。

1．タンパク質
2．アルブミン
3．クレアチニン
4．アミノ酸
5．赤血球

問12 人体

CHECK!

内分泌腺と分泌されるホルモンの組み合わせで正しいのはどれか。

1．バソプレシン ―― 下垂体前葉
2．甲状腺刺激ホルモン ―― 甲状腺
3．アルドステロン ―― 集合管
4．グルカゴン ―― 副腎髄質
5．プロゲステロン ―― 卵巣

問13 疾病

CHECK!

血漿膠質浸透圧が低下している状態でみられる病態はどれか。

1．血漿成分が血管外へ流出する。
2．赤血球の破壊が亢進している。
3．アルブミンが増加している。
4．心不全のときにみられる。
5．高LDLコレステロール血症を伴うことがある。

解答 別冊 P.7～8

問14 疾病

CHECK!

がん腫と組織学的分類の組み合わせで正しいのはどれか。

1．肺がん —— 移行上皮がん
2．膵臓がん —— 腺がん
3．大腸がん —— 扁平上皮がん
4．子宮頸がん —— 腺がん
5．膀胱がん —— 小細胞がん

問15 疾病

CHECK!

ウイルスについて正しいのはどれか。

1．栄養培地で増殖する。
2．大きさは1μm（マイクロメートル）である。
3．DNAあるいはRNAどちらか一方をもつ。
4．細胞壁をもつ。
5．アルコール消毒は効果がない。

問16 疾病

CHECK!

薬剤と薬理作用の組み合わせで正しいのはどれか。

1．非ステロイド性抗炎症薬 —— 血小板凝集作用
2．副腎皮質ステロイド薬 —— 免疫促進作用
3．H_2受容体遮断薬 —— 胃液分泌促進作用
4．カルシウム拮抗薬 —— 血管拡張作用
5．ジギタリス製剤 —— 房室伝導時間短縮作用

問17 疾病

CHECK!

抗コリン薬が禁忌なのはどれか。

1．手術前の前投薬
2．術後の腹痛
3．腸閉塞
4．房室ブロック
5．緑内障

問18 疾病

CHECK!

薬物と副作用の組み合わせで正しいのはどれか。

1．ニトログリセリン —— 高血圧
2．サルファ剤 —— 歯牙形成障害
3．抗甲状腺薬 —— 無顆粒球症
4．リトドリン塩酸塩 —— 下痢
5．ジギタリス製剤 —— 発作性上室性頻拍

解答 別冊 P.8

問19 疾病

CHECK!

拡張期逆流性心雑音が聴取される弁膜疾患はどれか。

1．僧帽弁閉鎖不全症
2．心タンポナーデ
3．心筋梗塞
4．大動脈弁閉鎖不全症
5．大動脈弁狭窄症

問20 疾病

CHECK!

血液分布異常性ショックの原因はどれか。

1．エンドトキシンショック
2．心筋梗塞
3．心タンポナーデ
4．大量出血
5．肺塞栓

問21 疾病

CHECK!

消化器系疾患の特徴で、正しいのはどれか。

1．胃潰瘍 ―― ニボー像
2．腸閉塞 ―― ニッシェ像
3．膵尾部がん ―― クールボアジェ徴候
4．腹膜炎 ―― ブルンベルグ徴候
5．急性肝炎 ―― ヒポクラテス顔貌

問22 疾病

CHECK!

内分泌疾患と症状の組み合わせで正しいのはどれか。

1．慢性甲状腺炎 ―― 代謝亢進
2．クッシング症候群 ―― 高血糖
3．バセドウ病 ―― 色素沈着
4．原発性アルドステロン症 ―― 高カリウム血症
5．インスリノーマ ―― 体重減少

問23 疾病

CHECK!

糖尿病において、高浸透圧性非ケトン性昏睡の病態を示しているのはどれか。

1．脱水が原因になることが多い。
2．１型糖尿病で起こりやすい。
3．糖尿病性腎症を合併した病態である。
4．ケトン体の蓄積が著しい。
5．インスリンの過剰投与で起こりやすい。

解答 別冊 P.8～9

疾 病

CHECK!

伝音性難聴について正しいのはどれか。

1．聴力検査で、気導閾値と骨導閾値が上昇する。
2．骨導聴力検査で、感音性難聴と比べて患側が大きく聞こえる。
3．疾患としてメニエール病がある。
4．老人性難聴に多い。
5．大きい声で話しかけると雑音となる。

問25

社 保

CHECK!

労働基準法に基づく妊産婦の保護対策で正しいのはどれか。

1．子の看護休暇
2．育児休業
3．育児時間
4．妊婦の時差通勤
5．生理休暇

問26

社 保

CHECK!

社会保険の種類と保険者との組み合わせで**誤っている**のはどれか。

1．健康保険 —— 全国健康保険協会
2．国民年金 —— 政府
3．介護保険 —— 都道府県
4．雇用保険 —— 政府
5．労働者災害補償保険 —— 政府

問27

社 保

CHECK!

介護保険法について正しいのはどれか。

1．要支援認定者は予防給付となる。
2．第１号被保険者は40歳から64歳までの医療保険加入者である。
3．要介護認定は、都道府県が行う。
4．サービスは居宅サービスと施設サービスの２つがある。
5．地域包括支援センターで要介護者のケアプランを立てる。

問28

社 保

CHECK!

国民年金制度について正しいのはどれか。

1．任意加入である。
2．第１号被保険者は自営業者である。
3．20歳～65歳まで加入する。
4．保険料は所得により変動する。
5．都道府県が管掌する。

解答 別冊 P.9～10

問29
社保
CHECK!

身体障害児が対象の施策はどれか。
1．療育の給付
2．療育手帳
3．育成医療
4．養育医療
5．更生医療

問30
社保
CHECK!

人口動態統計に**該当しない**のはどれか。
1．出生率
2．死亡率
3．離婚率
4．受療率
5．婚姻率

問31
社保
CHECK!

予防接種の注意事項で正しいのはどれか。
1．一般に、1歳を過ぎてからの接種開始が推奨されている。
2．不活化ワクチンでは接種後3週間は副反応の出現に注意する。
3．夏の季節での接種は禁止されている。
4．接種当日、明らかな発熱者は接種をしてはならない。
5．気管支喘息患者は禁止される。

問32
社保
CHECK!

保健師助産師看護師法の改正において、最も新しい改正事項はどれか。
1．看護職員の守秘義務
2．保健師等の再教育
3．絶対的欠格事由の廃止
4．看護職員の名称独占追加
5．特定行為に関する基準追加

問33
基礎
CHECK!

わが国における看護制度および看護教育の変遷で、最初に行われたのはどれか。
1．有志共立東京病院看護婦教育所の設立
2．看護婦規則の制定
3．保健師助産師看護師法の制定
4．産婆規則
5．高知女子大学衛生看護学科の設置

解答 別冊 P.10～11

問34
基礎
CHECK!

看護における人間の捉え方で**誤っている**のはどれか。

1．共通性と個別性をもつ。
2．統一体としての存在である。
3．環境と相互作用がある。
4．外部環境に応じて内部環境が変化する。
5．顕在的ニードと潜在的ニードを有する。

問35
基礎
CHECK!

看護過程について適切なのはどれか。

1．情報の収集 —— 主観的情報より客観的情報を優先して収集する。
2．問題の明確化 —— 顕在化問題のみを扱う。
3．優先順位の決定 —— 生命に危険が及ぶものは優先度が高い。
4．看護計画立案 —— 疾患が明確になってから立案する。
5．評価 —— 数値化できないものは除外する。

問36
基礎
CHECK!

腹部の観察法について**適切でない**のはどれか。

1．視診－触診－打診－聴診の順序で進める。
2．聴診や打診では両膝を伸ばした状態で行う。
3．触診では膝を軽く曲げた状態で行う。
4．痛みのある場所は事前に聞いておく。
5．浅い触診から始め、次いで深い触診へと進める。

問37
基礎
CHECK!

感染成立の連鎖で、Aに入る用語はどれか。

1．感染経路
2．増殖
3．消毒
4．隔離
5．潜伏期

病原体
宿主
感染源
侵入門戸
排出門戸
A

解答 別冊 P.11

問38
基礎

清潔区域でのガウンテクニック（再利用するガウンの場合）において、最初に行うのはどれか。

1．マスクをする。
2．キャップをかぶる。
3．ガウンを着る。
4．手袋をする。
5．擦式手指消毒薬で消毒する。

CHECK! □□□

問39
基礎

ブレーデンスケールの項目に**含まれない**のはどれか。

1．知覚の認知
2．湿潤
3．骨の突出
4．栄養状態
5．摩擦とずれ

CHECK! □□□

問40
基礎

パルスオキシメーター装着において、正確に測定できない場合はどれか。

1．マニキュアを塗布している。
2．指先が温かい。
3．血圧が高い。
4．褐色の皮膚である。
5．輸血をしている。

CHECK! □□□

問41
基礎

Aさん（50歳、男性）は、精査目的で大腸内視鏡検査を実施する予定である。当日の看護で正しいのはどれか。

1．便秘および白内障、前立腺肥大の有無を確認する。
2．腸管洗浄液を30分かけて飲水する。
3．便塊の混入があっても水様便になったら検査を実施する。
4．検査後、1時間は飲水しない。
5．検査後、下血の有無を観察する。

CHECK! □□□

解答 別冊 P.11～12

問42
基 礎

CHECK!

検査について正しいのはどれか。

1. 尿定性は蓄尿で行う。
2. 副腎皮質ホルモンの定量は新鮮尿で行う。
3. 血液培養は、冷蔵庫で保存する。
4. 喀痰採取はうがい後に行う。
5. 凝固検査はヘパリン入り採血管を使う。

問43
成 人

CHECK!

壮年期の特徴で正しいのはどれか。

1. 筋肉量が増加する。
2. 心重量が低下する。
3. 流動性知能がピークに達する。
4. 性的機能が低下する。
5. 身長が低下する。

問44
成 人

CHECK!

長期にわたり人工呼吸器を装着している患者の合併症で、関連が低いのはどれか。

1. 気胸
2. 皮下気腫
3. 血圧低下
4. 心拍出量増加
5. 心拍数増加

問45
成 人

CHECK!

緊急で気管内挿管を行うことになった成人男性。挿管時の介助で**誤っている**のはどれか。

1. 頸部を後屈にする。
2. 喉頭鏡のライトを確認する。
3. スタイレットは挿管チューブ先端から出さない。
4. 挿入後、気管チューブのカフに生理食塩水を注入する。
5. 気管チューブ挿入後はバッグバルブマスクで換気し両肺の呼吸音を聴取する。

解答 別冊 P.12

問46 成人

CHECK!

手術後の生体反応で傷害期にみられるのはどれか。

1．抗利尿ホルモン分泌促進
2．アルドステロン分泌低下
3．タンパク質同化促進
4．正の窒素平衡
5．腸蠕動の促進

問47 成人

CHECK!

身長160cm、体重80kgの男性。肥満度の判定はどれか。

1．標準
2．肥満１度
3．肥満２度
4．肥満３度
5．肥満４度

問48 成人

CHECK!

WHOが提唱するがん性疼痛への鎮痛薬使用法の基本４原則で**誤っている**のはどれか。

1．経口投与を基本とする。
2．痛みの強い時に投与する。
3．時刻を決めて定期的に投与する。
4．患者ごとの個別的な量で投与する。
5．副作用対策など細かい配慮をする。

問49 成人

CHECK!

50歳の男性。呼吸機能検査で、フローボリューム曲線が図のようになった。この患者において、他の検査データで推測されるのはどれか。

1．１秒率の低下
2．％肺活量上昇
3．残気量低下
4．$PaCO_2$低下
5．PaO_2上昇

患者のフローボリューム曲線

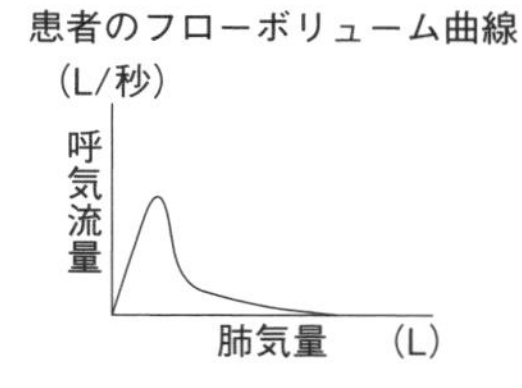

参考：正常曲線

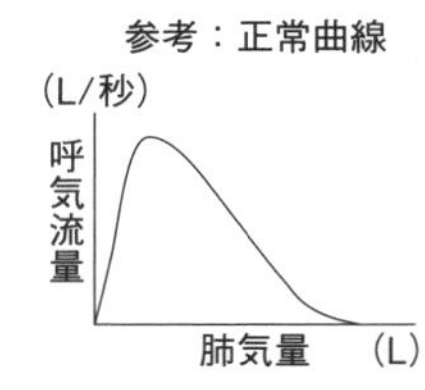

解答 別冊 P.12～13

問50 成人

CHECK! □□□

開心術後に行う処置で、循環動態を把握するために挿入するのはどれか。

1．心嚢ドレーン
2．直腸モニター
3．スワンガンツカテーテル
4．大動脈内バルーンパンピング
5．体外式ペースメーカー

問51 成人

CHECK! □□□

腎生検でのケアで正しいのはどれか。

1．生検前の検査で特に重要なのは糸球体濾過値である。
2．検査体位は背中に枕を置いた仰臥位とする。
3．刺入時は深呼吸後息を止める。
4．検査後はすぐ歩行できる。
5．当日の飲食は禁止される。

問52 成人

CHECK! □□□

内分泌疾患と治療・看護について**適切でない**のはどれか。

1．１型糖尿病 ―― インスリン療法を行う。
2．尿崩症 ―― 水分制限を行う。
3．原発性アルドステロン症 ―― 果物の摂取を促す。
4．アジソン病 ―― 糖質の補給を行う。
5．褐色細胞腫 ―― 高血圧に留意する。

問53 成人

CHECK! □□□

筋萎縮性側索硬化症の病態で、**誤っている**のはどれか。

1．膀胱直腸障害がある。
2．運動ニューロンが障害される。
3．小手筋が早期から障害される。
4．バビンスキー反射が陽性となる。
5．腱反射が亢進する。

問54 成人

CHECK! □□□

運動器疾患の治療の組み合わせで正しいのはどれか。

1．胸椎脱臼骨折 ―― クラッチフィールド頭蓋牽引
2．肩関節脱臼 ―― ヒポクラテス法
3．骨肉腫 ―― 骨盤牽引
4．椎間板ヘルニア ―― 化学療法
5．変形性股関節脱臼 ―― リーメンビューゲル法

解答 別冊 P.13～14

問55 老年

CHECK!

成年後見制度について正しいのはどれか。

1．寝たきり高齢者の増加に伴い制度化された政策である。
2．法定後見制度では、親族しか申し立て人になれない。
3．法定後見制度は裁判所が成年後見人を選出する。
4．任意後見制度では、保佐人と契約を結ぶことができる。
5．任意後見制度の開始は、認知症と診断されたときである。

問56 老年

CHECK!

加齢に伴う身体的変化で上昇するのはどれか。

1．１秒率
2．血管の弾力性
3．腺分泌
4．渇中枢の閾値
5．骨量

問57 老年

CHECK!

老年期の加齢に伴う変化で正しいのはどれか。

1．味覚の閾値が低下する。
2．結晶性知能が緩やかに低下する。
3．拡張期血圧の上昇が顕著である。
4．長期記憶が低下する。
5．皮脂の分泌量は増加する。

問58 老年

CHECK!

75歳男性。身体活動レベルⅠである。食事状況は以下のような状況であった。指導で正しいのはどれか。

摂取エネルギー	炭水化物	たんぱく質	脂肪エネルギー比	カルシウム
1800kcal	80%	40g	20%	0.7g

1．摂取エネルギーを減らす。
2．炭水化物の割合を減らす。
3．たんぱく質の摂取を減らす。
4．脂肪エネルギー比を増やす。
5．カルシウムを増やす。

解答 別冊 P.14

問59
小 児

CHECK!

児童に関する関連法規で、最も新しく成立したのはどれか。

1．児童の権利に関する条約
2．児童憲章
3．児童福祉法
4．児童虐待防止法
5．発達障害者支援法

問60
小 児

CHECK!

手の発達過程で、最初にみられるのはどれか。

1．A
2．B
3．C
4．D
5．E

A.　B.　C.　D.　E.

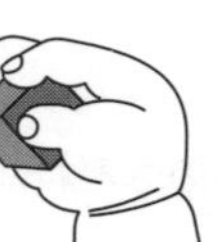
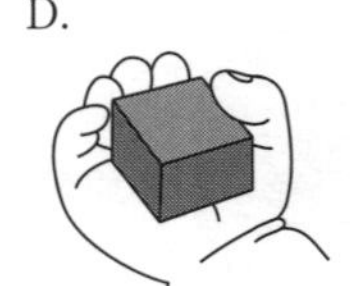
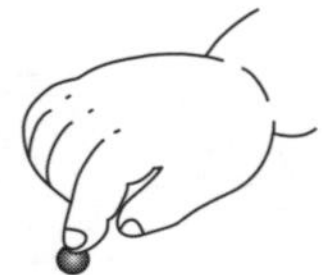

問61
小 児

CHECK!

原始反射で、１歳児にみられるのはどれか。

1．モロー反射
2．緊張性頸反射
3．手掌把握反射
4．バビンスキー反射
5．自動歩行

問62
小 児

CHECK!

離乳食開始に際して、母親への指導として正しいのはどれか。

1．舌でつぶせる硬さの調理形態とする。
2．１日２回とする。
3．授乳後、離乳食を与える。
4．はちみつは与えない。
5．開始前にスプーンで果汁を与える。

解答 別冊 P.14～15

問63

小 児

CHECK!

子どもの遊びで、３歳を過ぎた頃から出現してくるのはどれか。

1．構成遊び
2．協同組織遊び
3．並行遊び
4．感覚運動遊び
5．連合遊び

問64

小 児

CHECK!

検査が予定されている４歳児。プレパレーションで適切なのはどれか。

1．保護者への説明のことである。
2．行う時期は、検査の１週間前がよい。
3．受容を促すために注意事項は説明しない。
4．立ち向かう力を引き出すための手法である。
5．泣かせないことを目的としている。

問65

小 児

CHECK!

乳児の与薬について適切なのはどれか。

1．薬用量の計算で必要な指標は身長である。
2．錠剤はつぶして飲ませる。
3．散剤はオブラートに包んで飲ませる。
4．水薬はミルクと混ぜて哺乳瓶から飲ませる。
5．離乳食、あるいは授乳の前に飲ませる。

問66

小 児

CHECK!

小児の特発性血小板減少性紫斑病について**誤っている**のはどれか。

1．遺伝病である。
2．６か月以内に治癒する急性型が多い。
3．出血斑が顔面、四肢、体幹にみられる。
4．副腎皮質ステロイド薬が投与される。
5．指定難病である。

問67

小 児

CHECK!

熱性けいれんについて正しいのはどれか。

1．38℃以上の発熱が解熱した後に出現する。
2．発作は片側性で反復する。
3．脳波に異常がみられる。
4．学童期以降も継続する。
5．家族集積性がある。

解答 別冊 P.15～16

問68
小児
CHECK!

小児疾患と手術の組み合わせで、正しいのはどれか。

1．肥厚性幽門狭窄症 —— ブラロック・タウシッヒ法
2．二分脊椎症 —— ハッチンソン手技
3．ファロー四徴症 —— ラムステッド法
4．先天性胆道閉鎖症 —— 人工肛門造設術
5．心室中隔欠損症 —— パッチ閉鎖術法

問69
小児
CHECK!

１型糖尿病で、インスリン療法を行っている10歳の男児。サッカーが好きである。学校での対応で正しいのはどれか。

1．インスリン注射は養護教諭に行ってもらう。
2．給食は半分摂取し、半分は残す。
3．通常の体育授業は参加できるがサッカーはできない。
4．グルコース顆粒は常に携帯する。
5．血糖値測定はインスリン注射の後で行う。

問70
小児
CHECK!

先天異常と症状の組み合わせで正しいのはどれか。

1．フェニルケトン尿症 —— 黄疸
2．21トリソミー —— 筋緊張低下
3．クラインフェルター症候群 —— 巨舌
4．ターナー症候群 —— 高身長
5．13トリソミー —— 白内障

問71
母性
CHECK!

リプロダクティブ・ヘルス／ライツの基本要素について**誤っている**のはどれか。

1．妊孕性を調整する。
2．安全な妊娠・出産を享受する。
3．安全で満足のいく性生活ができる。
4．対象はすべての女性と子どもである。
5．新生児の健全性を保つ。

解答 別冊 P.16

問72 母性

CHECK!

受胎のメカニズムについて正しいのはどれか。

1．黄体化ホルモンにより排卵が促される。
2．精子の染色体は22＋Xのみである。
3．精子が受精能をもつのは射精後24時間である。
4．妊卵が子宮内膜に着床することを受精という。
5．性別は卵子により決定される。

問73 母性

CHECK!

受胎のメカニズムについて正しいのはどれか。

1．排卵する細胞 —— 二次卵母細胞
2．頸管粘液の変化 —— 粘稠性の促進
3．精子の正常運動 —— 旋回運動
4．受精の場所 —— 卵管采
5．着床の時期 —— 受精後3日

問74 母性

CHECK!

思春期の月経について正しいのはどれか。

1．骨端線が閉じた後に初経が起こる。
2．初経のあとに乳房の発達がみられる。
3．基礎体温は一相性であっても異常ではない。
4．月経時に剥離するのは基底層である。
5．月経周期が一定になるのは初経発来後1年である。

問75 母性

CHECK!

更年期の女性の特徴はどれか。

1．閉経前の月経周期は長くなった後に短くなる。
2．身体的症状は出現しにくい。
3．性腺刺激ホルモンの分泌は増加する。
4．子宮頸がんが増加する。
5．子宮筋腫が発育しやすくなる。

問76 母性

CHECK!

妊娠による母体の生理的変化で適切なのはどれか。

1．血漿量が増加する。
2．動脈血二酸化炭素分圧が上昇する。
3．糸球体濾過値が低下する。
4．耐糖能が促進する。
5．重心が後方へ移動する。

解答 別冊 P.16～17

問77 母性

CHECK!

常位胎盤早期剥離について正しいのはどれか。

1．外出血が多い。
2．胎児の死亡率は低い。
3．母体はDICを起こしやすい。
4．子宮底は上昇し軟らかい。
5．内診で胎盤が触れる。

問78 母性

CHECK!

正常の分娩経過で正しいのはどれか。

1．陣痛周期が20分以内になった時点で分娩開始である。
2．分娩第１期は分娩開始から適時破水までをいう。
3．子宮口全開大時に胎胞が破れるものを早期破水という。
4．分娩第２期に排臨、発露が起こる。
5．後産期に胎児の回旋運動がみられる。

問79 母性

CHECK!

40歳経産婦。妊娠41週6日。本日、午前５時に規則的陣痛が発来し、６時に入院した。入院時、陣痛間欠６分、陣痛発作20秒、子宮口開大２cm、station-2、未破水。正午に2900gの女児分娩。その10分後、子宮底が右に傾き、胎児面から胎盤娩出があった。出血量400mL、分娩２時間経過後病室へ戻った。分娩第４期の出血50mL。アセスメントで正しいのはどれか。

1．過期産である。
2．分娩所要時間は７時間10分である。
3．胎盤剥離徴候は異常である。
4．胎盤娩出様式はダンカン様式である。
5．出血量は異常範囲である。

問80 母性

CHECK!

30歳初産婦。産褥３日目、１回の哺乳量30mL、乳房の緊満感が強く、圧痛があるが、発赤や乳頭の亀裂はない。「赤ちゃんがあまり吸ってくれない。出る量が少ないのでは」と不安がっている。ケアで適切なのはどれか。

1．依存的な時期なので、褥婦を十分休ませる。
2．順調に経過していることを伝える。
3．授乳時間を長くすることを提案する。
4．乳頭を浅く吸うように指導する。
5．産褥体操は骨盤をよじる運動を勧める。

解答 別冊 P.17～18

問81 母性

2900gで出生した正期産男児。生後５日目の体重2650g。総ビリルビン値12mg/dL、乳房の腫脹があり、乳頭から乳汁分泌がみられた。皮膚から落屑があり、オムツにレンガ色の尿が付着していた。アセスメントで適切なのはどれか。

1．体重減少率が正常から逸脱している。
2．乳房の腫脹と乳汁分泌は異常である。
3．レンガ色の尿は血尿が予測される。
4．皮膚落屑は脱水を示している。
5．生理的黄疸がみられる。

CHECK!

問82 精神

拒否的態度を示す患者に対して、医療者が患者に向ける感情はどれか。

1．転移
2．取り入れ
3．逆転移
4．投影
5．反動形成

CHECK!

問83 精神

理想を求め、職場を転々とする青年期の危機はどれか。

1．スチューデントアパシー
2．ピーターパン症候群
3．青い鳥症候群
4．モラトリアム
5．サンドイッチ症候群

CHECK!

問84 精神

統合失調症でみられる症状で、思考障害はどれか。

1．発揚
2．昏迷
3．連合弛緩
4．幻聴
5．感情失禁

CHECK!

解答 別冊 P.18～19

問85

精 神

CHECK!

心的外傷後ストレス障害（PTSD）の診断基準に含まれるのはどれか。

1．突然恐怖がよみがえってくる。
2．強烈な体験をした場にしばしば足を運ぶ。
3．ノンレム睡眠が長くなる。
4．友人と普段通りの付き合いができる。
5．周囲の音に鈍感になる。

問86

精 神

CHECK!

統合失調症患者の精神症状で適切な組み合わせはどれか。

1．思考障害 ―― 自分という実感がない。
2．両価性 ―― 相反する感情を同時に抱く。
3．昏迷 ―― 自発性の極端な低下。
4．幻覚 ―― 知覚刺激で非現実的意味付けをする。
5．思考停止 ―― 頭の中で考えが出てこない。

問87

精 神

CHECK!

躁状態の病態で**誤っている**のはどれか。

1．夜間に覚醒し、昼間、うとうとしている。
2．自分を過大評価する。
3．観念奔逸がみられる。
4．他人に過干渉となる。
5．体力が消耗する。

問88

精 神

CHECK!

学習理論に基づく精神療法はどれか。

1．精神分析療法
2．行動療法
3．森田療法
4．芸術療法
5．集団精神療法

問89

精 神

CHECK!

自立支援医療の精神通院医療について正しいのはどれか。。

1．対象となる疾患は統合失調症のみである。
2．有効期限は2年間である。
3．公的負担の適否は市町村長が決定する。
4．障害者総合支援法に規定されている。
5．自己負担はない。

解答 別冊 P.19～20

問90
精神

CHECK!

精神科病棟での処遇について正しいのはどれか。
1．信書の発受は原則制限されない。
2．異物が同封されている信書は医療者側で開封する。
3．閉鎖病棟には公衆電話は設置しない。
4．患者の面会には立ち合い人が必ず必要である。
5．患者からの処遇改善請求は認められない。

問91
在宅

CHECK!

50歳男性。妻と子ども2人の4人家族。筋萎縮性側索硬化症で、気管切開し、人工呼吸器を装着している。妻が在宅介護にあたっている。兄と妹は会社が休日の時のみ手伝っている。訪問介護と訪問看護サービスを受けている。妻は定期的な吸引に介護疲労を訴えている。家族への対応で適切なのはどれか。
1．妻にがんばるようにと励ます。
2．レスパイトケアを提案する。
3．親戚に夜間の吸引を手伝ってもらう。
4．兄と妹に会社に休暇届を出すように促す。
5．入院を勧める。

問92
在宅

CHECK!

訪問看護ステーションについて正しいのはどれか。
1．常勤換算で3人以上の看護職員が開設の要件である。
2．医師も管理者になることができる。
3．営利法人は設立できない。
4．介護保険法に基づく訪問看護の利用には要介護認定が必要である。
5．健康保険法に基づく訪問看護の利用は75歳以上の人に限られる。

問93
在宅

CHECK!

在宅療養者への訪問看護で正しいのはどれか。
1．療養者との契約書があれば、訪問看護指示書は不要である。
2．初回訪問では情報収集は行わない。
3．初回訪問で緊急時の連絡方法を確認する。
4．訪問看護計画は主治医の指示を優先する。
5．訪問看護計画書や報告書は主治医に提出しなくてよい。

解答 別冊 P.20

在宅

CHECK!

介護保険による福祉用具の貸与で、要介護1では**貸与できない**のはどれか。

1．歩行器
2．歩行補助杖
3．スロープ
4．車椅子
5．手すり

問95

統合

CHECK!

看護サービスの質の評価において、最初に行うべき看護マネジメントはどれか。

1．プロセス
2．ストラクチャー
3．アウトカム
4．バリアンス
5．リフレクション

問96

統合

CHECK!

看護師の医療過誤について正しいのはどれか。

1．不可抗力も含まれる。
2．被害者に医療従事者は含まれる。
3．インシデントも含まれる。
4．刑事上、民事上、行政上の責任が問われる。
5．行政処分は刑法に規定されている。

問97

統合

CHECK!

災害時のトリアージについて、正しいのはどれか。

1．トリアージ担当者は、トリアージの合間をみて治療を行う。
2．トリアージタッグが手首につけられないときは衣服につける。
3．トリアージは1回のみとし、その後は行わない。
4．大規模災害ではトリアージ時間は数十秒から数分で行う。
5．トリアージのカテゴリーはどんな状況でも変わらない。

解答 別冊 P.20～21

問98
統合

Aさん（50歳、女性）は、震度６強の地震により家屋が倒壊し、がれきの下敷きとなった。レスキュー隊に発見されるまで４時間を要した。病院に搬送され、ただちに治療が開始された。意識レベルⅠ-2、体温37.5℃、呼吸数25/分、脈拍120/分、血圧90/70mmHg、検査データは、Hb17g/dL、Ht50％、Na135mEq/L、K6.2mEq/L、クレアチンキナーゼ〈CK〉40000IU/L、尿素窒素50mg/dL、クレアチニン３mg/dL、血中ミオグロビン値15000mg/mLであった。膀胱留置カテーテル挿入後、暗赤色尿を認めた。下肢全体に強い腫脹が認められたが、下肢レントゲンでは骨折所見はなかった。入院時の心電図には異常波形は認められなかった。クラッシュ症候群と診断された。病院搬送後、ただちに実施される治療はどれか。

1．直達牽引
2．腹膜透析
3．IABP（大動脈バルーンパンピング）
4．大量輸液
5．気管内挿管

CHECK! □□□

問99
統合

地震で火災が発生。救助に当たっていた地元の消防団の男性が患者を搬送してきた。男性の鼻孔がすすで黒くなっており、鼻毛が焦げていた。男性は、「火事も鎮火したので、私は職場に戻ります」とそのまま帰ろうとした。男性に外傷はない。トリアージに当たっていた看護師が「喉が変ではありませんか」と聞くと、「なんとなく、ひりひりする」と答えた。この男性に対する対応で適切なのはどれか。

1．そのまま帰宅を促す。
2．口腔を冷水でうがいさせる。
3．高濃度の酸素吸入を準備する。
4．気管支鏡の準備をする。
5．点滴の準備をする。

CHECK! □□□

問100
統合

「児童の権利に関する条約（子どもの権利条約）」の草案作りに参加し、条約の内容の実施に対する助言や検討などの専門的な役割を担っている国際機関はどれか。

1．国際連合教育科学文化機関（UNESCO）
2．国連児童基金（UNICEF）
3．世界保健機関（WHO）
4．国連人権高等弁務官事務所（OHCHR）
5．国際労働機関（ILO）

CHECK! □□□

5肢択一問題

解答 別冊 P.21

5肢択二問題

問 1
人体
CHECK!

核酸について正しいのはどれか。**2つ選べ。**

1．核酸はポリヌクレオチド鎖からなる。
2．転写とはRNAを鋳型にDNAが合成されることをいう。
3．アミノ酸をリボソームに運ぶのはmRNAである。
4．塩基９個は、アミノ酸２個に対応する。
5．翻訳はリボソームで行われる。

問 2
人体
CHECK!

中枢神経を保護する組織および血管で正しいのはどれか。**2つ選べ。**

1．軟膜の下にクモ膜下腔がある。
2．脳脊髄液は脳室の脈絡叢で産生される。
3．脳脊髄液は動脈に吸収される。
4．前・後交通動脈はウィリス動脈輪を構成する。
5．脳底動脈は左右１対ある。

問 3
人体
CHECK!

骨について正しいのはどれか。**2つ選べ。**

1．破骨細胞は骨吸収を行う。
2．パラソルモンは骨形成を促す。
3．長管骨の長軸方向の成長は骨膜で行う。
4．エストロゲンは骨端線の閉鎖を促す。
5．血清ナトリウム調節を行う。

問 4
人体
CHECK!

骨格筋と収縮した時の動きの組み合わせで正しいのはどれか。**2つ選べ。**

1．三角筋 ―― 上腕の外転
2．上腕三頭筋 ―― 肘関節の屈曲
3．大殿筋 ―― 股関節の伸展
4．中殿筋 ―― 大腿の内転
5．前脛骨筋 ―― 足関節の底屈

解答 別冊 P.22

問 5
人体
CHECK!

遠くを見るときの反応で正しいのはどれか。**2つ選べ。**

1．両眼球の輻輳が起こる。
2．瞳孔が縮小する。
3．水晶体の厚さが薄くなる。
4．眼圧が上昇する。
5．チン小帯が弛緩する。

問 6
人体
CHECK!

心臓について正しいのはどれか。**2つ選べ。**

1．右心房には静脈血が戻る。
2．冠状動脈は上行大動脈から右１本、左２本が出る。
3．心臓は中縦隔にある。
4．洞房結節は右心室にある。
5．第Ⅰ心音は、動脈弁が閉じる音である。

問 7
人体
CHECK!

Ⅰ型アレルギー反応で正しいのはどれか。**2つ選べ。**

1．IgG抗体が関与する。
2．補体が関与する。
3．ヒスタミンが放出される。
4．接触性皮膚炎がある。
5．血管壁の透過性が亢進する。

問 8
人体
CHECK!

呼吸運動について正しいのはどれか。**2つ選べ。**

1．吸息時の気道内圧は陽圧である。
2．呼息時の胸腔内圧は陰圧である。
3．呼吸筋は横隔膜や肋間筋である。
4．呼吸筋は主に呼息時に用いられる。
5．呼吸の末梢化学受容器は主に$PaCO_2$に反応する。

問 9
人体
CHECK!

ガスの運搬について正しいのはどれか。**2つ選べ。**

1．ヘモグロビンは酸素より一酸化炭素と結合しやすい。
2．酸素濃度は肺胞より組織のほうが高い。
3．PaO_2 90mmHgのときSpO_2は約90％である。
4．二酸化炭素は主に重炭酸イオンとなって運搬される。
5．静脈血は酸化ヘモグロビンが多い。

解答 別冊 P.22～23

問10 人体

CHECK!

代謝について正しいのはどれか。2つ選べ。

1．酸素のない状況下では、ブドウ糖は二酸化炭素と水に分解される。
2．アミノ酸が分解されると窒素化合物が合成される。
3．アンモニアは尿酸回路で無毒化される。
4．インスリンは脂肪の分解を促進する。
5．HDLコレステロールはリポタンパク質である。

問11 人体

CHECK!

腎臓の構造および機能で正しいのはどれか。2つ選べ。

1．腎小体とは、糸球体と尿細管を合わせたものをいう。
2．集合管で水分および電解質の再吸収が行われる。
3．傍糸球体装置からアルドステロンが分泌される。
4．高酸素血症時にエリスロポエチンが分泌される。
5．集合管に抗利尿ホルモンが作用する。

問12 人体

CHECK!

体温調節について正しいのはどれか。2つ選べ。

1．体温調節中枢は中脳にある。
2．温中枢が刺激を受けると熱産生を促進する。
3．寒冷刺激では甲状腺ホルモンの分泌が促進する。
4．発汗を促進する神経は副交感神経である。
5．温熱性発汗は体温調節に関与する。

問13 人体

CHECK!

刺激に対して分泌が抑制されるホルモンの組み合わせで正しいのはどれか。2つ選べ。

1．血液浸透圧の上昇 ―― バソプレシン
2．低カリウム血症 ―― アルドステロン
3．血糖値上昇 ―― インスリン
4．低カルシウム血症 ―― パラソルモン
5．サイロキシン増加 ―― 甲状腺刺激ホルモン

解答 別冊 P.23〜24

問14
人体

女性の通常の性周期において、基礎体温が高温相のときの状況で正しいのはどれか。**2つ選べ。**

1．性腺刺激ホルモンの分泌が亢進している。
2．プロゲステロンだけが分泌されている。
3．子宮内膜は分泌期となっている。
4．成熟卵胞が形成されている。
5．期間に個人差がほとんどない相である。

CHECK!

問15
人体

男性生殖器と女性生殖器において、共通原基より発生した器官（相当器官）の組み合せで正しいのはどれか。**2つ選べ。**

	男性		女性
1．	精巣	——	卵巣
2．	陰茎	——	小陰唇
3．	精嚢	——	陰核
4．	カウパー腺	——	バルトリン腺
5．	陰嚢	——	子宮

CHECK!

問16
疾病

病理学用語と関連する疾患や病態の組み合わせで適切なのはどれか。**2つ選べ。**

1．アポトーシス —— アルツハイマー病
2．萎縮 —— 廃用症候群
3．虚血 —— 下肢静脈瘤
4．うっ血 —— 心筋梗塞
5．浮腫 —— ネフローゼ症候群

CHECK!

問17
疾病

閉塞性黄疸について正しいのはどれか。**2つ選べ。**

1．間接ビリルビンが上昇する。
2．灰白色便がみられる。
3．掻痒感がみられる。
4．尿は正常の色である。
5．尿ウロビリノゲンが増加する。

CHECK!

解答 別冊 P.24

問18

疾病

CHECK!

染色体の数が増加する先天異常はどれか。**2つ選べ。**

1．ダウン症候群
2．フェニルケトン尿症
3．ターナー症候群
4．クラインフェルター症候群
5．軟骨形成不全症

問19

疾病

CHECK!

非上皮性腫瘍はどれか。**2つ選べ。**

1．大腸腺腫
2．肝細胞がん
3．骨肉腫
4．子宮筋腫
5．乳頭腫

問20

疾病

CHECK!

ウイルスが原因で発症する疾患はどれか。**2つ選べ。**

1．子宮頸がん
2．成人Ｔ細胞白血病
3．急性糸球体腎炎
4．卵巣がん
5．溶血性尿毒症症候群

問21

疾病

CHECK!

慢性閉塞性肺疾患（COPD）の病態で正しいのはどれか。**2つ選べ。**

1．肺胞の縮小がみられる。
2．横隔膜が挙上する。
3．胸郭の前後径と左右径の比が１：１となる。
4．ピークフローが上昇する。
5．１秒率が低下する。

解答 別冊 P.24～25

問22 疾病

CHECK!

Aさん（60歳、男性）は、大動脈弁狭窄症により人工弁置換術を行った。術後に心タンポナーデが疑われる所見はどれか。**2つ選べ。**

1．尿量100mL/時
2．CVP 20cmH_2O
3．血圧80/70mmHg
4．心拍出量５L/分
5．心拍数70回/分

問23 疾病

CHECK!

大腸がんについて正しいのはどれか。**2つ選べ。**

1．女性の悪性新生物死亡数で第１位である。
2．家族性大腸ポリポーシスでは高頻度に大腸がんが発症する。
3．高残渣食で発症しやすい。
4．組織型はほとんどが扁平上皮がんである。
5．腫瘍マーカーのPSA値が上昇する。

問24 疾病

CHECK!

肝硬変患者の症状と原因の組み合わせで正しいのはどれか。**2つ選べ。**

1．腹水 ―― 低アルブミン血症
2．黄疸 ―― 赤血球破壊亢進
3．食道静脈瘤 ―― エストロゲン分解低下
4．出血傾向 ―― プロトロンビン増加
5．羽ばたき振戦 ―― 高アンモニア血症

問25 疾病

CHECK!

血液疾患において、所見の組み合わせで適切なのはどれか。**2つ選べ。**

1．慢性骨髄性白血病 ―― フィラデルフィア染色体
2．悪性リンパ腫 ―― Mタンパク血症
3．多発性骨髄腫 ―― 尿中ベンス・ジョーンズタンパク
4．血友病A ―― 第Ⅸ凝固因子欠損
5．播種性血管内凝固症候群 ―― FDP減少

解答 別冊 P.25～26

問26 疾病

CHECK!

関節リウマチの病態について正しいのはどれか。**2つ選べ。**

1．膠原病のなかで最も発症頻度が高い。
2．男性に多く、30～50歳代に発生のピークがある。
3．関節滑膜が肥厚する。
4．関節の変形は遠位指節間関節に多い。
5．関節にがんが発生することを悪性関節リウマチという。

問27 疾病

CHECK!

神経疾患について正しいのはどれか。**2つ選べ。**

1．多発性硬化症は、髄液内にIgGの増加を認める。
2．重症筋無力症は筋原性筋萎縮を起こす。
3．筋萎縮性側索硬化症では感覚および運動神経が障害される。
4．ギラン・バレー症候群は末梢性の脱髄疾患である。
5．パーキンソン病は錐体路が障害される。

問28 疾病

CHECK!

Aさん（20歳、男性）は、バイクで走行中に転倒し、救急車で病院に搬送された。意識は明瞭で、下腿の骨折がみられた。CT検査後、高位（T_2）胸髄損傷と診断された。下腿の骨折はギプス固定し経過観察となった。急性期を脱し、リハビリテーションが開始された。現在の状態で正しいのはどれか。**2つ選べ。**

1．腹式呼吸ができない。
2．四肢麻痺がみられる。
3．プッシュアップはできる。
4．尿意はない。
5．自力車いすでトイレに行けない。

問29 疾病

CHECK!

Aさん（40歳、女性）は、子宮筋腫で貧血が強く、子どもも2人いることから、単純子宮全摘術を行った。術後の症状で正しいのはどれか。**2つ選べ。**

1．排卵はない。
2．月経はない。
3．更年期障害が起こる。
4．基礎体温は二相性である。
5．ゴナドトロピンが増加する。

解答 別冊 P.26

問30
社 保
CHECK!

請求がなくても事業主に義務づけられている保護規定はどれか。**2つ選べ。**

1．産前休業
2．産後休業
3．妊婦の危険有害業務の就業制限
4．妊産婦の深夜業業務制限
5．妊産婦の時間外労働就業制限

問31
社 保
CHECK!

医療保険の医療給付の内容で、被用者保険のみの給付はどれか。**2つ選べ。**

1．訪問看護療養費
2．高額療養費
3．傷病手当金
4．療養の給付
5．出産手当金

問32
社 保
CHECK!

日本の平成30年（2018年）の国民医療費について正しいのはどれか。**2つ選べ。**

1．総額は40兆円を超えている。
2．高齢者が占める割合は全体の1/3である。
3．人口一人当たりの国民医療費で最も多いのは、65歳未満である。
4．総額の内訳のなかで最も多いのは薬剤調剤費である。
5．国民医療費の国民所得に対する比率は約1割である。

問33
社 保
CHECK!

介護保険制度における居宅サービスはどれか。**2つ選べ。**

1．在宅酸素濃縮器のレンタル
2．認知症対応型共同生活介護
3．特定施設入居者生活介護
4．洋式便器への取り換え
5．小規模多機能型居宅介護

問34
社 保
CHECK!

福祉事務所について正しいのはどれか。**2つ選べ。**

1．人口30万以上で設置義務がある。
2．障害者基本法によって規定されている。
3．主な業務は生活保護の判定を行う。
4．母子生活支援施設への入所手続きをする。
5．児童虐待の通告を受けて立ち入り調査を行う。

解答 別冊 P.26～27

問35 社保

CHECK!

施設と法的根拠の組み合わせで適切なのはどれか。**2つ選べ。**

1．助産施設 ―― 母子保健法
2．母子・父子福祉センター ―― 児童福祉法
3．宿所提供施設 ―― 生活保護法
4．介護老人保健施設 ―― 介護保険法
5．市町村保健センター ―― 精神保健福祉法

問36 社保

CHECK!

障害者総合支援法について正しいのはどれか。**2つ選べ。**

1．障害者認定は市町村が行う。
2．障害者週間が規定されている。
3．利用者の自己負担はない。
4．小児には適用されない。
5．自立支援医療が規定されている。

問37 社保

CHECK!

WHOの活動について正しいのはどれか。**2つ選べ。**

1．労働者の労働条件の改善
2．地球温暖化防止対策
3．国際疾病分類（ICD）作成
4．感染症撲滅事業の推進
5．児童労働の撲滅

問38 社保

CHECK!

保健所について正しいのはどれか。**2つ選べ。**

1．医療法に規定されている。
2．第１次予防を受け持つ。
3．管内の人口動態調査を行う。
4．管内の精神保健福祉に関する実態調査を行う。
5．精神保建に関する技術指導や技術援助を行う。

問39 社保

CHECK!

母体保護法に規定されている内容について正しいのはどれか。**2つ選べ。**

1．不妊手術とは、生殖腺除去手術のことである。
2．不妊手術は、子育てを終えた既婚男性も対象である。
3．人工妊娠中絶は、胎児異常が理由の場合も行える。
4．人工妊娠中絶が行える医師は指定医師に限られる。
5．医師以外の受胎調節実地指導員は子宮腔内への避妊器具挿入も行える。

解答 別冊 P.27～28

問40
社保
CHECK!

精神保健福祉法に規定されている内容で正しいのはどれか。**2つ選べ。**
1．精神障害の定義に知的障害も含まれている。
2．精神障害者通院医療費公費負担制度が規定されている。
3．精神障害者保健福祉手帳の交付が規定されている。
4．精神保健福祉センターは市町村に設置義務がある。
5．任意入院は精神保健指定医の判断が必須である。

問41
社保
CHECK!

産業保健と関連する内容で正しいのはどれか。**2つ選べ。**
1．産業医の設置は労働基準法に規定されている。
2．労働者の健康診断は労働安全衛生法に規定されている。
3．トータルヘルスプロモーションプランはWHOが推奨している。
4．メンタルヘルスケアに従事する産業カウンセラーは国家資格である。
5．労働衛生の3管理として、作業環境管理、作業管理、健康管理がある。

問42
社保
CHECK!

医療施設について正しいのはどれか。**2つ選べ。**
1．地域医療支援病院の承認要件の一つに救急医療を提供することがある。
2．特定機能病院は都道府県知事の承認を得た病院である。
3．医師が開設する診療所は都道府県知事の認可が必要である。
4．助産所開設にあたっては嘱託医師を定めることが義務づけられている。
5．休日夜間急患センターは特定機能病院がその役割を担う。

問43
基礎
CHECK!

健康の概念について正しいのはどれか。**2つ選べ。**
1．重度の障害がある場合は健康水準が低い。
2．社会的役割を果たせるかどうかも健康の指標となる。
3．自覚症状がなければ健康水準は高い。
4．健康は暦年齢と一致する。
5．時代とともに変遷する。

問44
基礎
CHECK!

バイタルサイン測定において適切なのはどれか。**2つ選べ。**
1．側臥位での体温測定は圧反射に留意する。
2．脈拍測定では、親指を橈骨動脈に押し付けて測定する。
3．触診法の血圧測定は加圧して脈拍が触れなくなったときが拡張期血圧である。
4．聴診法の血圧測定で、マンシェットの位置を心臓より下にすると血圧は高く出る。
5．呼吸測定では、患者に測定することを伝え、静かに呼吸するよう促す。

解答　別冊 P.28～29

基 礎

CHECK!

経腸栄養と比較した場合の経静脈栄養の特徴はどれか。**2つ選べ。**

1．必要なエネルギーを正確に投与できる。
2．投与経路が生理的である。
3．重症感染症が起こりやすい。
4．生体防御能が高まる。
5．消化管機能が亢進する。

問46

基 礎

CHECK!

排泄のケアにおいて適切なのはどれか。**2つ選べ。**

1．浣腸液の温度 —— 40～41℃
2．高圧浣腸のイルリガートルの高さ —— 肛門から１ｍ
3．膀胱留置カテーテルのバルーン液 —— 生理食塩水
4．膀胱洗浄液 —— 滅菌蒸留水
5．グリセリン浣腸の体位 —— 左側臥位

問47

基 礎

CHECK!

経鼻気管内チューブ挿入中の患者。痰の吸引で適切なのはどれか。**2つ選べ。**

1．実施前に吸引カテーテルを滅菌蒸留水に通す。
2．挿入時、吸引カテーテルを陰圧にする。
3．吸引カテーテルの挿入の長さは10cm程度がよい。
4．吸引圧は150mmHg以下が望ましい。
5．吸引後、ネブライザーを使用する。

問48

基 礎

CHECK!

退院調整看護師の役割で正しいのはどれか。**2つ選べ。**

1．患者の退院が決まってから業務が開始される。
2．早期退院を促すのが目的である。
3．社会資源のアドバイスは役割ではない。
4．訪問看護師との連携も含まれる。
5．地域ネットワークの調整を行うのも役割の一つである。

解答 別冊 P.29

問49
成人

がん性疼痛がある50歳の女性。フェンタニル貼付剤が処方された。使用法の説明で正しいのはどれか。**2つ選べ。**

1. 貼付部位を濡れたタオルで拭いてから使用する。
2. 入浴直後に交換する。
3. 毎回貼付部位を変える。
4. カットして各箇所に貼付する。
5. 貼付後、約30秒間手のひらで押さえる。

CHECK! □□□

問50
成人

抗がん薬の静脈注射開始直後、注意すべき観察項目はどれか。**2つ選べ。**

1. 下痢
2. 白血球減少
3. 脱毛
4. 顔面発赤
5. 血圧低下

CHECK! □□□

問51
成人

Aさん（65歳、男性）は、肺がんで右上葉切除術を行った。術後の胸腔内ドレーン管理で**誤っている**のはどれか。**2つ選べ。**

1. 水封室には水道水を入れる。
2. 吸引圧調整室の気泡はエアリークと判断する。
3. 持続管は体位変換できる程度の長さにする。
4. 水封室で呼吸性移動を確認する。
5. 胸腔内ドレーン挿入中でも歩行は行える。

CHECK! □□□

問52
成人

Aさん（60歳、女性）は、3度房室ブロックの診断を受け、ペースメーカー挿入となった。ペースメーカー埋め込み術後の生活指導で適切なのはどれか。**2つ選べ。**

1. 自宅で電子レンジは使用しない。
2. 水泳やテニスなど腕を使う運動は行わない。
3. 毎日脈拍測定を行う。
4. 連続する吃逆時は受診する。
5. CT検査は禁忌である。

CHECK! □□□

解答 別冊 P.29～30

問53 成人

CHECK!

心臓疾患と関連する治療の組み合わせで正しいのはどれか。**2つ選べ。**

1．心タンポナーデ —— 心嚢穿刺
2．解離性大動脈瘤 —— パッチ閉鎖術
3．ファロー四徴症 —— 人工弁置換術
4．心室中隔欠損症 —— 冠動脈バイパス術
5．閉塞性動脈硬化症 —— ステント留置

問54 成人

CHECK!

肝細胞がんと診断された70歳の患者。腫瘍の大きさが20mm以下であり、経皮的ラジオ波焼灼療法（RFA）が予定されている。治療前日に入院となった。看護で適切なのはどれか。**2つ選べ。**

1．全身麻酔で行われるので、前日は術前検査を行う。
2．足背動脈をマーキングする。
3．施行後４時間は安静にする。
4．施行当日は禁食となる。
5．発熱や嘔吐、熱傷に留意する。

問55 成人

CHECK!

２型糖尿病の食事療法および運動療法の指導で適切なのはどれか。**2つ選べ。**

1．糖質を制限し、たんぱく質を多く摂る。
2．脂肪エネルギー比は、10%以下とする。
3．摂取エネルギーは標準体重（kg）×身体活動量で計算する。
4．運動は食後２時間してから行う。
5．運動は有酸素運動を取り入れる。

問56 成人

CHECK!

Aさん（50歳、男性、会社員）は、慢性腎臓病で、食事療法、薬物療法を行ってきたが、GFRで20%以下に低下し、血液透析と腹膜透析のいずれかを勧められた。仕事をしながらできる腹膜透析を選択し、１週間前に腹腔カテーテル挿入術を行い、連続携行式腹膜透析（CAPD）を開始した。施行の指導で、適切なのはどれか。**2つ選べ。**

1．「週４日のペースで行ってください」
2．「食事はエネルギーを摂りすぎないようにしてください」
3．「透析液は体温程度に電子レンジで少し温めてください」
4．「バッグ交換時は必ず手洗いをしてから交換してください」
5．「風通しのよい場所で行ってください」

解答 別冊 P.30

問57

成人

CHECK!

膠原病の症状の組み合わせで正しいのはどれか。**2つ選べ。**

1．ベーチェット病 ―― 口腔内アフタ性潰瘍
2．全身性エリテマトーデス ―― 口腔内乾燥
3．強皮症 ―― 低グロブリン血症
4．多発性筋炎 ―― 血清CPK値低下
5．皮膚筋炎 ―― ヘリオトロープ疹

問58

成人

CHECK!

Aさん（80歳、男性）は、脳梗塞で入院後、3週間経過した。下肢一部に単麻痺があるが、自力で歩行は可能である。週3回リハビリを行っている。リハビリにも前向きで一生懸命がんばっている。数日前から高次脳機能障害の失行症がみられるようになった。症状で正しいのはどれか。**2つ選べ。**

1．主に大脳髄質の障害であることが多い。
2．左側を無視した行動がみられる。
3．衣服の認識はあるが、正しく着ることができない。
4．指示されても動作を真似することができない。
5．運動機能障害を伴う。

問59

成人

CHECK!

腎機能検査について正しいのはどれか。**2つ選べ。**

1．クレアチニンクリアランスの計算式 ―― $\frac{\text{血中クレアチニン濃度}\times 1\text{分間尿量}}{\text{尿中クレアチニン濃度}}$
2．フィッシュバーグ濃縮テスト ―― 起床後飲水し、採尿する。
3．推算糸球体濾過量 ―― 採血のみで評価できる。
4．腎生検 ―― 検査後2時間で安静解除。
5．排泄性腎盂造影 ―― 造影剤入り点滴施行後X線撮影。

問60

成人

CHECK!

子宮内膜症について**誤っている**のはどれか。**2つ選べ。**

1．卵巣にチョコレート嚢胞が起こる。
2．月経困難症が強い。
3．プロゲステロン依存性である。
4．妊娠で悪化する。
5．偽閉経療法を行う。

解答 別冊 P.30～31

問61
老 年
CHECK!

加齢による薬物動態の変化で、正しいのはどれか。**2つ選べ。**
1．水溶性薬剤が体内に蓄積しやすくなる。
2．脂溶性薬剤が体内に蓄積しやすくなる。
3．半減期が延長する。
4．血漿タンパクと結合した薬剤が増加する。
5．薬剤の吸収が早まる。

問62
老 年
CHECK!

老年期の視力変化の説明で正しいのはどれか。**2つ選べ。**
1．老視 ―― 水晶体の弾力性低下
2．白内障 ―― 硝子体の混濁
3．暗順応低下 ―― 視細胞の機能低下
4．色覚変化 ―― 暖色系の弁別能力低下
5．縮瞳 ―― 動眼神経麻痺

問63
老 年
CHECK!

認知症で用いられる評価表および検査はどれか。**2つ選べ。**
1．バーセル・インデックス（BI；Barthel index）
2．ブレーデン・スケール（BS；Braden scale）
3．グラスゴー・コーマ・スケール（GCS；Glasgow coma scale）
4．ミニメンタルステート検査（MMSE；mini mental state examination）
5．DBDスケール（DBD；dementia behavior disturbance scale）

問64
老 年
CHECK!

大腿骨頸部骨折により人工骨頭置換術を行った。術後の看護で正しいのはどれか。**2つ選べ。**
1．脱臼予防のために患肢を内転位にする。
2．患肢足背の第一趾と第二趾間のしびれの有無を観察する。
3．術後1日目から患肢の等張性運動を実施する。
4．体位変換は術後1週間が経過してから行う。
5．立位時は呼吸状態に注意する。

解答 別冊 P.31～32

問65
老 年

介護保険における高齢者の入所施設で適切なのはどれか。**2つ選べ。**

1. ケアハウスは介護保険法に規定された施設であり、介護保険の居宅サービスを担う。
2. 特別養護老人ホームは介護老人福祉施設であり、医師は非常勤でもよい。
3. 介護老人保健施設は介護と医療を担う。
4. 介護療養型医療施設は長期療養が必要な要支援者が入所する。
5. 認知症対応型共同生活介護は要介護者しか入所できない。

CHECK! □□□

問66
小 児

1歳以降に行う予防接種はどれか。**2つ選べ。**

1. ポリオ
2. DPT混合ワクチン
3. 水痘
4. BCG
5. MRワクチン

CHECK! □□□

問67
小 児

Aちゃん（生後11か月）は、午後6時、下痢による脱水のため入院となった。入院時の体重7.4kg。1週間前の体重は8kgであった。午前9時が最終排尿であった。ぐったりしているが嘔吐はない。入院時のアセスメントとケアで適切なのはどれか。**2つ選べ。**

1. 脱水の程度は軽症である。
2. カリウムを含まない輸液を準備した。
3. 代謝性アルカローシス状態にある。
4. ツルゴール反応はゆっくり戻る。
5. 飲水は禁忌である。

CHECK! □□□

問68
小 児

腸重積症について正しいのはどれか。**2つ選べ。**

1. 1～2歳の女児に多い。
2. 間欠的啼泣の出現が発症の目安である。
3. 閉塞性腸閉塞である。
4. グリセリン浣腸で粘血便が認められる。
5. ただちに手術適応となる。

CHECK! □□□

5肢択二問題

解答 別冊 P.32

問69 小児

CHECK!

川崎病の所見について正しいのはどれか。**2つ選べ。**

1．５日以上続く発熱
2．手足の変形
3．両側眼球結膜の黄疸
4．口腔粘膜白斑
5．非化膿性頸部リンパ節腫脹

問70 小児

CHECK!

フェニルケトン尿症について正しいのはどれか。**2つ選べ。**

1．性染色体劣性遺伝である。
2．フェニルアラニンが蓄積する病態である。
3．皮膚の色が濃くなる。
4．新生児マススクリーニングの対象疾患である。
5．治療として、高たんぱくのミルクを与える。

問71 母性

CHECK!

母性に関する事項と法的根拠の組み合わせで正しいのはどれか。**2つ選べ。**

1．人工妊娠中絶：妊娠20週未満まで可能 ―― 母体保護法
2．養育医療：低出生体重児2500g未満が対象 ―― 母子保健法
3．育成医療：身体障害児の医療給付 ―― 障害者総合支援法
4．妊産婦：有害業務就業制限 ―― 労働基準法
5．妊産婦：健康診査の時間確保 ―― 育児介護休業法

問72 母性

CHECK!

不妊症について正しいのはどれか。**2つ選べ。**

1．正常な夫婦生活のもとで、通常１年間妊娠しない状態をいう。
2．不妊の原因は女性のほうが圧倒的に多い。
3．女性の不妊症の原因は排卵障害が最も多い。
4．子宮内膜組織検査は黄体期に行う。
5．卵管通気法は排卵期に行う。

問73 母性

CHECK!

妊娠初期の状態で正しいのはどれか。**2つ選べ。**

1．尿中hCGは、妊娠１週頃から陽性を示す。
2．卵巣内には成熟卵胞が存在している。
3．基礎体温は12～14週くらいまで高温相である。
4．胎嚢（GS）は６週頃には全例に認められる。
5．胎動を自覚する。

解答 別冊 P.32～33

問74

母性

CHECK!

妊娠期の生活指導で正しいのはどれか。**2つ選べ。**

1．つわりの時期の食事は、栄養価にこだわらない。
2．喫煙は巨大児になりやすいので禁煙を行う。
3．胎盤が完成する頃から食欲が出てくるので体重増加に注意する。
4．エストロゲンの影響で便秘傾向になるので食生活に留意する。
5．靴はヒールのないものが奨励される。

問75

母性

CHECK!

Aさん（30歳、初産婦）は、妊娠24週1日。外来勤務の看護師である。本日健診のため来院した。身長160cm、非妊時の体重50kg。現在56kg、前回の健診から1.5kg増加している。子宮底長22cm、血圧135/80mmHg、尿タンパク（±）、尿糖（－）、浮腫（±）、胎児推定体重700g。胎児心音が母体の左下腹部に1か所聴取された。胎児心拍数は130bpm/分。「よく蹴ります」と笑顔がみられる。健診時のアセスメントで適切なのはどれか。**2つ選べ。**

1．胎児の発育は順調である。
2．胎児は第2頭位である。
3．次回の健診は4週間後になる。
4．体重増加が標準より逸脱している。
5．産前休業まで10週である。

問76

母性

CHECK!

Aさん（32歳、初産婦）は、妊娠糖尿病と診断された。妊娠26週。非妊時BMI22。アセスメントおよびケアで適切なのはどれか。**2つ選べ。**

1．妊娠高血圧症候群を合併しやすい。
2．胎児は高血糖になりやすい。
3．治療は経口血糖降下薬を投与する。
4．食後2時間の血糖値は120mg/dL未満を目標とする。
5．食事エネルギー量は、標準体重×30kcalで、付加量はなしとする。

解答 別冊 P.33～34

問77

母性

Aさん（妊娠38週、初産婦）は、不規則な陣痛がある。「水のようなものが出た」と病院に連絡があった。入院の準備をして受診した。受診後、流出物検査でリトマス試験紙が青色に変化した。胎児下降度－2cm。アセスメントおよび看護について適切なのはどれか。**2つ選べ。**

1．前期破水がある。
2．分娩陣痛がある。
3．早めの入浴を促す。
4．骨盤高位にする。
5．食事は禁食とする。

CHECK! □□□

問78

母性

産褥期について適切なのはどれか。**2つ選べ。**

1．産褥３日目の子宮底は分娩直後と同じ高さである。
2．産褥数日間は尿量減少や頻脈が起こることがある。
3．産褥４日は心理的変化過程では受容期にあたる。
4．産褥５日頃の子宮は鶏卵大となる。
5．悪露は産褥４日目で３/４は排泄される。

CHECK! □□□

問79

母性

母乳について適切なのはどれか。**2つ選べ。**

1．初乳は白色不透明である。
2．糖分は成乳より初乳のほうが多い。
3．１回の授乳中に脂肪濃度が変化する。
4．児の黄疸がしばらく続くことがある。
5．児の吸綴によりバソプレシンが分泌され射乳が起こる。

CHECK! □□□

問80

母性

生後４日目の男児新生児。正常から逸脱している徴候はどれか。**2つ選べ。**

1．呼吸数50/分
2．総ビリルビン12mg/dL
3．黒緑色便
4．８％の体重減少
5．１日尿量５mL

CHECK! □□□

解答 別冊 P.34

問81

母 性

CHECK!

妊娠30週で出産した初産婦。出生時体重1400ｇ。仮死状態で、ただちに保育器に収容し人工呼吸が施行された。アセスメントで正しいのはどれか。**2つ選べ。**

1．超低出生体重児である。
2．サーファクタントが欠乏している。
3．シルバーマンスコアは低い。
4．アプガースコアは高い。
5．体重当たりの体表面積が大きい。

問82

母 性

CHECK!

保育器内での低出生体重児の看護で適切なのはどれか。**2つ選べ。**

1．震えがないときは、体温は低下していないと判断する。
2．保育器内の温度は30℃、湿度40％とする。
3．ディベロップメンタルケアを行う。
4．聴診器は児専用にする。
5．感染予防のため両親の面会は制限する。

問83

精 神

CHECK!

精神障害者の社会復帰を妨げる状態はどれか。**2つ選べ。**

1．こころのバリアフリー
2．スティグマ
3．家族の強い感情表出
4．デイケア
5．ピアグループ

問84

精 神

CHECK!

心身症はどれか。**2つ選べ。**

1．重い病気に罹っていると思い込む。
2．過去の出来事が蘇ってくる。
3．治療が必要な身体的疾患を持っている。
4．試し行為が多い。
5．リエゾン精神看護が活用される。

解答 別冊 P.35

問85 精神

Aさん（55歳、男性）は、１週間前にうつ病の治療のため入院となった。自宅に引きこもりがちで、トイレ以外は自室で過ごしている。入院後、薬物療法が開始された。抑うつ状態の患者に対する看護で適切なのはどれか。**2つ選べ。**

1．規則正しい生活リズムがつくように様々なスケジュールを決める。
2．気分転換のためにラウンジで行うレクリエーションの参加を勧める。
3．午後に散歩を促すようにする。
4．家族に面会を促し、家族からがんばるように伝えてもらう。
5．普段と違う行動をとっているときは自殺企図に注意する。

CHECK! □□□

問86 精神

選択的セロトニン再取り込み阻害薬（SSRI）の適用疾患はどれか。**2つ選べ。**

1．統合失調症
2．うつ病
3．躁病
4．強迫性障害
5．薬物中毒

CHECK! □□□

問87 精神

心理教育的アプローチの説明で、適切なのはどれか。**2つ選べ。**

1．日常生活を送るための生活技能を身につけることである。
2．疾病を正しく理解して問題の対処法を習得してもらう。
3．精神疾患患者に限定した治療法である。
4．家族だけを対象としたアプローチもある。
5．入院していることが条件である。

CHECK! □□□

問88 精神

Aさん（40歳、男性）は、統合失調症で幻聴が強く、抗精神病薬の効果が低いため、修正型電気けいれん療法を行うことになった。実施方法と看護で正しいのはどれか。**2つ選べ。**

1．局所麻酔で行う。
2．骨折や脱臼を起こしやすいので留意する。
3．記憶障害が生じることがある。
4．１回で終了することを説明する。
5．同意書が必要である。

CHECK! □□□

解答 別冊 P.35～36

問89
精神

Aさん（40歳、男性）は、統合失調症で15年間精神科病院に入院していた。症状が改善し、2か月前に退院した。自宅では母親と二人暮らし。母親との関係も良好で、母親は久しぶりに息子と過ごせることに喜びを感じている様子である。内服薬も中断することなく自己管理できているが、対人面で不安を感じている。「いつまでもぶらぶらしているわけにはいかない。働きたい。できたら一般企業で働きたい」と、定期受診時に精神保健福祉士に相談していた。Aさんに適している社会資源はどれか。**2つ選べ。**

1．共同生活援助
2．短期入所
3．自立訓練（生活訓練）
4．就労移行支援
5．就労継続支援Ｂ型

CHECK!

問90
精神

精神科の医療機関における隔離について正しいのはどれか。**2つ選べ。**

1．隔離の継続時間にかかわらず、一般医師が判断してよい。
2．本人の意思で入室する場合は隔離には当たらない。
3．隔離室への入室は１室に２名までとする。
4．隔離室への入室においては患者および家族の同意が必要である。
5．医師の指示に基づくケアのための隔離の一時中断は、看護師の判断で行ってよい。

CHECK!

問91
精神

日本の精神医療の変遷において、成立した法律と内容について正しいのはどれか。**2つ選べ。**

1．精神病者監護法 ―― 精神障害者の私宅監置合法化
2．精神病院法 ―― 任意入院の導入
3．精神衛生法 ―― 公立精神病院の設置
4．精神保健法 ―― 通院医療費公的負担制度
5．精神保健福祉法 ―― 精神障害者保健福祉手帳の創設

CHECK!

問92
精神

精神保健福祉法で規定している内容で正しいのはどれか。**2つ選べ。**

1．目的に国民の精神保健の向上も含まれている。
2．精神障害者の定義に知的障害は含まれない。
3．精神障害者保健福祉手帳はすべての精神障害者に交付される。
4．精神保健福祉センターは市町村が設置する。
5．精神保健指定医は厚生労働大臣が指定する。

CHECK!

解答 別冊 P.36～37

問93
精神

心神喪失等の状態で重大な他害行為を行った者の医療及び観察等に関する法律（心身喪失者等医療観察法）について正しいのはどれか。**2つ選べ。**

1．重大な他害行為を行った者が有罪判決を受けたときに適用される。
2．重大な他害行為とは、殺人、放火、強盗、強姦などである。
3．法の目的は適切な医療を提供し、社会復帰を促進することである。
4．検察官の申し立てにより、精神保健指定医２名以上の一致で処遇を決定する。
5．入院の決定がされた場合は、これまで治療を受けていた病院に入院する。

CHECK! □□□

問94
在宅

Ａさん（80歳、男性）は脳梗塞の後遺症で自宅療養している。左片不全麻痺があり、移動には一部介助が必要である。家事や介護は80歳の妻が行っている。訪問看護師の情報収集で優先度が高いのはどれか。**2つ選べ。**

1．男性のバイタルサイン
2．男性のADLの程度
3．妻の健康状態
4．経済状態
5．家屋の段差状況

CHECK! □□□

問95
在宅

Ａさん（53歳、女性）は娘との２人暮らし。肺がん末期で、モルヒネ塩酸塩（10mg/日）の持続皮下注射を行っている。訪問看護師が週４回訪問している。身の回りのことは自力でできているが、家事全般が滞り、介護保険サービスの導入を検討している。看護および社会資源で適切なのはどれか。**2つ選べ。**

1．年齢が65歳に達していないので、介護保険サービスは受けられない。
2．要介護認定後、訪問看護は介護保険からの給付となる。
3．入浴時はいったん留置針を外してから入浴する。
4．持続皮下注射ではレスキューに対応できない。
5．穿刺部に発赤がみられたときは注射針の入れ替えを行う。

CHECK! □□□

問96
在宅

非侵襲的陽圧換気法について正しいのはどれか。**2つ選べ。**

1．気管内挿管が必要である。
2．喀痰の多い人に適している。
3．酸素濃縮器を準備する。
4．高二酸化炭素血症の人に適している。
5．長期在宅人工呼吸器療法が可能である。

CHECK! □□□

解答 別冊 P.37

問97
在 宅

Aさん（50歳、女性）は、経口摂取が不可能となり、在宅中心静脈栄養（HPN）のためにポートを埋め込んだ。1週間後に退院の予定である。在宅に向けた退院指導で正しいのはどれか。**2つ選べ。**

1．「訪問看護師が訪問したときに消毒や輸液の交換等の指導を行います」
2．「1週間に1回体温測定をしてください」
3．「入浴時は浴槽には入れません。シャワー浴をしてください」
4．「使用した注射針は病院へ返却してください」
5．「口から食べていなくても口腔ケアは定期的に行ってください」

CHECK! □□□

問98
統 合

医療安全管理体制について正しいのはどれか。**2つ選べ。**

1．医師法に規定されている。
2．200床以上の病院に義務付けられている。
3．管理体制には医療安全管理、感染防止対策、医療機器、医薬品がある。
4．無床診療所以外、医療安全委員会を開催しなければならない。
5．医療安全対策は診療報酬の対象にはならない。

CHECK! □□□

問99
統 合

災害時発生後1週間から1か月頃の亜急性期に特に留意すべきケアはどれか。**2つ選べ。**

1．トリアージ
2．物資の調達
3．感染症予防
4．災害訓練
5．慢性疾患の増悪防止

CHECK! □□□

問100
統 合

現在わが国が看護師・介護福祉士候補者を受け入れる経済連携協定（EPA）を結んでいない国はどれか。**2つ選べ。**

1．韓国
2．中国
3．インドネシア
4．ベトナム
5．フィリピン

CHECK! □□□

解答 別冊 P.37～38

状況設定問題

成人

次の文を読み、【問１】【問２】【問３】に答えよ。

Ａさん（55歳、男性）は、食品会社の営業部長をしている。５年前に前壁の心筋梗塞で入院した既往がある。その後再発作は起きていない。10日前から息切れが強くなり、夜間に呼吸困難が出現した。下肢の浮腫が次第に増加していることが気になった。昨夜、呼吸困難が強くなり、泡沫状血痰もみられたため、緊急入院した。入院時、体温37.0℃、心拍数130/分、脈拍数100/分、不整で、血圧105/75mmHg、心胸比60％であった。動脈血液ガス分析では、動脈血酸素分圧（PaO_2）60mmHg、動脈血二酸化炭素分圧（$PaCO_2$）40mmHg、pH7.4であった。Ⅲ音ギャロップが聴取された。心電図上、STの上昇はない。

問1 入院時の所見で、考えられる病態はどれか。**2つ選べ。**

1．心筋梗塞発作
2．心タンポナーデ
3．両心不全
4．心房細動
5．閉塞性換気障害

問2 検査の結果、僧帽弁狭窄症と診断され、手術適応となり、人工弁置換術が行われた。
術後１日目、体温37.3℃、心拍数120/分、血圧80/70mmHg、中心静脈圧20cmH_2O。動脈血液ガス分析は、動脈血酸素分圧（PaO_2）80mmHg、動脈血二酸化炭素分圧（$PaCO_2$）40mmHg、動脈血酸素飽和度（SaO_2）96％で、X線上心拡大がみられた。心雑音は聴取せず。
考えられる合併症はどれか。

1．無気肺
2．肺炎
3．心タンポナーデ
4．解離性大動脈瘤
5．感染性心内膜炎

解答 別冊 P.39

問3 順調に経過し、術後４週間で退院となった。各種の薬剤が処方された。退院指導で適切なのはどれか。**2つ選べ。**

1．水分の制限はない。
2．高エネルギー食とする。
3．納豆の摂取は控える。
4．スポーツは行えない。
5．身体障害者手帳交付の申請を伝える。

CHECK! □□□

小児

次の文を読み、【問４】【問５】に答えよ。

Ａちゃん（正期産、女児）は、出生時に心室中隔欠損症を指摘された。生後１か月に専門の小児病院でカテーテル検査を施行した後、医師から「欠損孔が小さいので、自然閉鎖する可能性もありえます。様子をみて、閉鎖しないようなら手術しましょう」と説明された。

問4 現時点での心室中隔欠損症の病態で正しいのはどれか。

1．右左シャントに属する。
2．全身に静脈血が流れる。
3．収縮期心雑音が聴取される。
4．肺への血流量が減少する。
5．アイゼンメンジャー症候群を起こしている。

問5 Ａちゃんは４歳の幼稚園児となった。自然閉鎖がなく、孔が次第に大きくなってきたため、パッチ閉鎖術が行われた。
術後２週間後に退院となった。退院後の日常生活で適切なのはどれか。**2つ選べ。**

1．水分の取りすぎと体重増加に注意する。
2．運動は禁止し自宅で安静にする。
3．幼稚園への通園は半年後にする。
4．生ワクチンの予防接種は２年間行わない。
5．他の医療機関を受診するときは心臓手術後であることを告げる。

CHECK! □□□

解答 別冊 P.39

母 性

次の文を読み、【問６】【問７】【問８】に答えよ。

Ａさん（26歳、初産婦）は、妊娠33週の定期健診で、空腹時血糖値150mg/dL、尿糖（3+）、経口ブドウ糖負荷テストで２時間値300mg/dL、妊娠糖尿病と診断され入院した。身長160cm、体重80kg、非妊時より15kg増加している。「いままで赤ちゃんがお腹にいるので、二人分食べようと食欲に任せて食べていた」としょんぼりしている。現在、胎児の状況は巨大児傾向にあるが、それ以外は異常所見がないので、経膣分娩を予定している。

問6 妊娠糖尿病に伴う母体側の合併症で正しいのはどれか。**２つ選べ。**

1．代謝性アルカローシス
2．羊水過少症
3．早産
4．貧血
5．妊娠高血圧症

問7 食事療法とインスリン療法が開始された。コントロール目標で適切なのはどれか。

1．空腹時血糖値110mg/dL以下
2．食後２時間血糖値120mg/dL以下
3．HbA1c７％以下
4．尿ケトン体（－）
5．体重増加１kg/月以下

問8 妊娠37週。胎児心拍数が急に低下し、遅発一過性徐脈が認められたため、帝王切開術が行われることになった。体重4000gの男児を分娩した。分娩時の羊水の色は正常であった。

帝王切開術後の母体および新生児に出現しやすいのはどれか。**２つ選べ。**

1．新生児高血糖
2．新生児一過性多呼吸
3．胎便吸引症候群
4．母体深部静脈塞栓症
5．うっ滞性乳腺炎

CHECK!
□□□

解答 別冊 P.40

問9~12
精神

次の文を読み【問9】【問10】【問11】【問12】に答えよ。

Ａさん（20歳、女性）は大学生で、両親と弟の４人暮らしである。２か月前から学校に行かなくなり、ぶつぶつ独り言を発するようになった。家族で夕食をとっていると、テレビから聞こえてくるアナウンサーの声に、「テレビで私の悪口を言っている」と言うなど、意味不明の言動が目立つようになった。出かけようと靴を履くが、立ったまま何時間でもそこに立ち尽くし、声をかけてもまったく返答がなかった。

両親がやっと精神科外来へＡさんを連れて来たが、診察を拒否し、「私はどこも悪くない」と帰ろうとしたため、両親の同意を得て入院となった。

入院後、統合失調症と診断され、抗精神病薬が処方された。服用してしばらく経ってから「手が震える」「気持ちが悪い」と服用を拒否し始めた。じっとしていられず、そわそわしている動作がみられ、舌の捻転突出や四肢をねじるような動きがみられた。

問9 入院前に出現している精神症状はどれか。**2つ選べ。**

1．両価性
2．関係妄想
3．昏迷
4．作為体験
5．思考制止

問10 入院形態はどれか。

1．任意入院
2．応急入院
3．措置入院
4．医療保護入院
5．鑑定入院

問11 抗精神病薬服用後、出現している副作用はどれか。**2つ選べ。**

1．悪性症候群
2．ジストニア
3．ジスキネジア
4．アカシジア
5．水中毒

解答 別冊 P.40

問12 精神症状も改善し、３か月間の入院後、退院することになった。薬剤は自宅でも継続して服用することになっている。退院指導で適切なのはどれか。**２つ選べ。**

1．「薬剤による副作用はもう出現しません」
2．「代謝が亢進しますので、高エネルギー食を心がけてください」
3．「過度な飲水が起こるようなときは受診してください」
4．「引き続き心理教育を外来で行っていきましょう」
5．「大学への復学は１年後がよいでしょう」

CHECK! □□□

在 宅

次の問題を読み、【問13】【問14】【問15】に答えよ。

Ａさん（50歳、女性）は、胃がん末期である。自宅で２人の娘たちと過ごしたいと、在宅での緩和ケアに移行することになった。病院と連携し、訪問看護ステーションからの訪問看護が実施されることになった。現在、疼痛管理はレスキューとして追加注入できるシリンジホンプを使用し、持続皮下注射を行っている。

問13 在宅緩和ケアについて適切なのはどれか。

1．疼痛には注射薬が第一選択となる。
2．オピオイド薬が中心で非オピオイド薬は使わない。
3．精神的苦痛を訴えた場合、オピオイド薬を増量する。
4．投与限界量は設定されていない。
5．体動時の痛み消失は期待できない。

問14 在宅緩和ケアを支える制度として適切なのはどれか。**２つ選べ。**

1．訪問看護は医療保険からの給付となる。
2．介護保険制度は利用できない。
3．訪問看護は週３回が限度である。
4．主治医からの訪問看護指示書が必要である。
5．24時間体制の支援はできない。

問15 疼痛管理について適切なのはどれか。

1．シリンジの交換は訪問看護師が行う。
2．時間を決めて注入を行う。
3．突然の痛みのときは、塩酸モルヒネ水を内服する。
4．留置針の交換は１か月ごと交換する。
5．入浴はできないので、清拭を行う。

CHECK! □□□

解答 別冊 P.41

視覚素材問題

問1
疾患

CT（巻頭カラー【1】）を別に示す。考えられる病態はどれか。

1．左脳内出血
2．左硬膜外血腫
3．右脳梗塞
4．右高吸収域像
5．右片麻痺

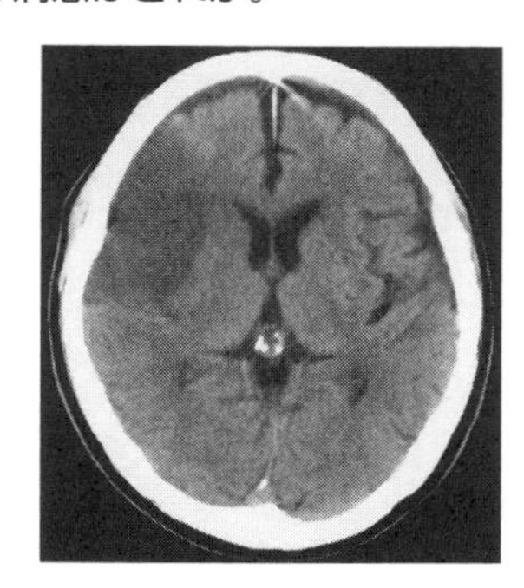

CHECK!

問2
基礎

防護用具の装着時の写真（巻頭カラー【2】）を別に示す。
防護用具の装着方法において、最後に行うのはどれか。

1．ガウンを着る

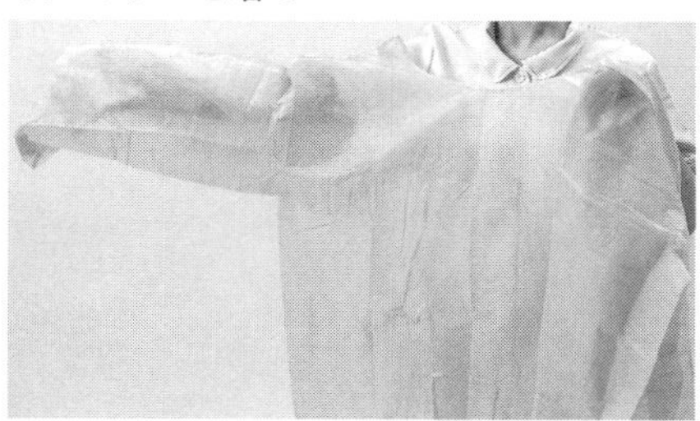

2．ゴーグルをつける

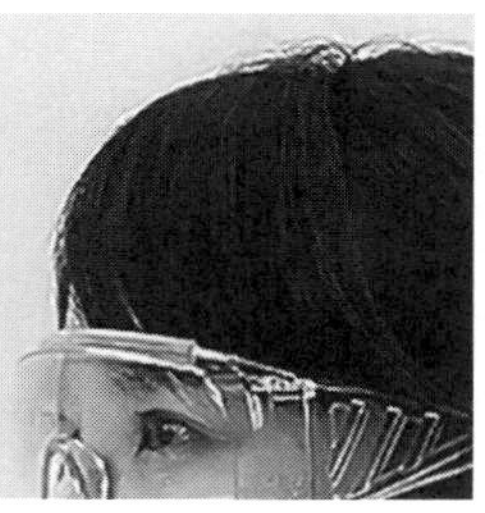

3．マスクをつける

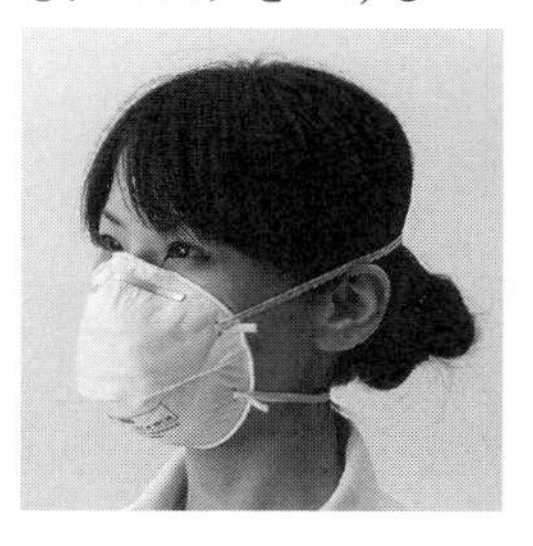

4．手袋をつける

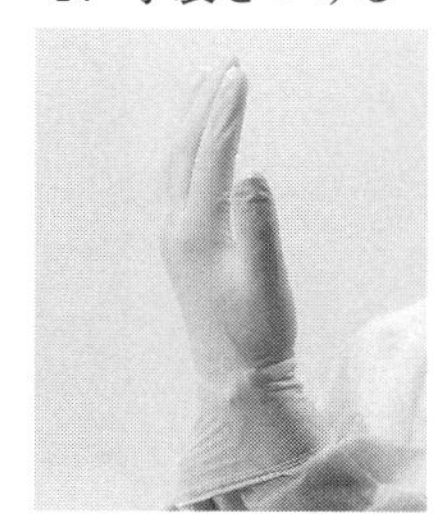

5．衛生的手洗いをする

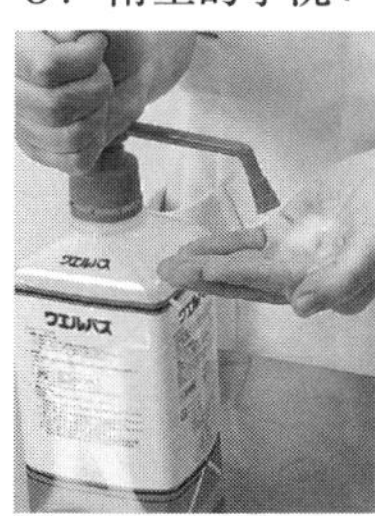

CHECK!

解答 別冊 P.42

問 3

成人

Aさん（20歳、男性）は、身長180cm、体重60kgである。友人とテニスをしているときに、突然呼吸困難となり、「胸が痛い」と訴え、友人の車で来院し受診した。受診時の呼吸数25/分、脈拍100/分、血圧100/70mmHg、左肺野呼吸音聴取されず。CT検査の画像（巻頭カラー【3】）を別に示す。

ただちに準備する医療機器はどれか。

1．気管内挿管チューブ
2．胸腔内ドレーン
3．動脈ラインセット
4．心電計
5．除細動器

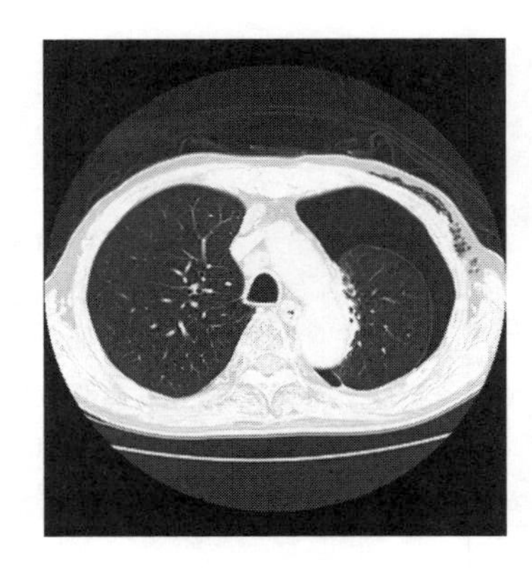

CHECK!

問 4

成人

Aさん（55歳、男性）は、５年前に血圧が180/100mmHgと高く高血圧症と診断されて以降、降圧剤を服用している。定期受診のときに、「坂を上ったとき、少し息が上がる」と話している。血圧136/88mmHg、脈拍96/分、呼吸数20/分。「血圧は内服薬でコントロールされているが、自覚症状もあるので、X線をとってみましょう」と医師から指示があった。

胸部X線写真（巻頭カラー【4】）を別に示す。AさんのX線撮影での心胸郭比はどれか。

1．28%
2．38%
3．48%
4．58%
5．68%

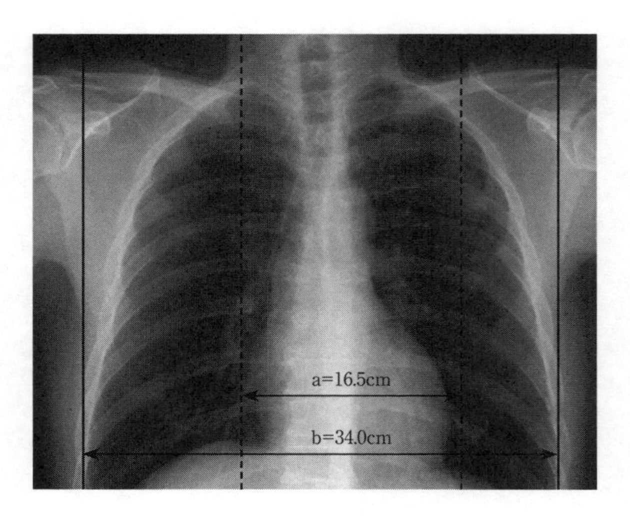

CHECK!

解答 別冊 P.42

問5~8

成人

次の文章を読み、【問5】【問6】【問7】【問8】に答えよ。

63歳の女性。夫と二人暮らし。夕食の支度をしているときに、急に手に力が入らなくなり、その場に倒れこんだ。居間で新聞を読んでいた夫が、がたんという物音に気づき、「おい、どうしたんだ」と呼びかけたが、返答なく、救急車で病院に搬送された。

病院到着時、呼びかけに反応なく、痛み刺激で払いのける動作がみられた。血圧144/96mmHg、脈拍数90/分、不整、呼吸数24/分、バビンスキー反射陽性。

ただちに、心電図、CT、MRAの検査が行われた。検査に30分程度費やし、その間、意識は徐々に回復し、普通の呼びかけで返事をするようになった。

問5 病院到着時の意識レベルはどれか。

1. Ⅱ-20
2. Ⅱ-30
3. Ⅲ-100
4. Ⅲ-200
5. Ⅲ-300

問6 夫から既往歴やこれまでの経緯を情報聴取したところ、「高血圧で近くの医院で受診している。降圧剤を飲んでいる。先生から血栓ができやすいので、脱水に気をつけるようにと言われている。そういえば一昨日、唇がしびれるようなことを本人は言っていた」と話す。心電図測定で不整の原因が明らかとなった。心電図（巻頭カラー【5】）を別に示す。考えられる心電図はどれか。

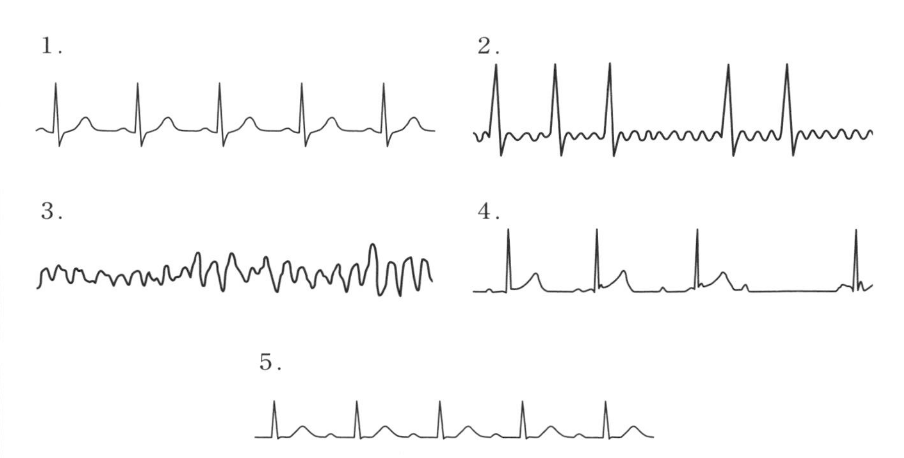

解答 別冊 P.42

問7 受診後ただちに行われたCTでは明確な像が確認されなかったが、MRAで、写真（巻頭カラー【6】）のような画像が確認された。
アセスメントとして正しいのはどれか。**2つ選べ。**

1．閉塞されている脳血管は中大脳動脈である。
2．失語症は起こらない。
3．錐体路障害が疑われる。
4．この病態のCT画像では高吸収域像となる。
5．片麻痺は左側である。

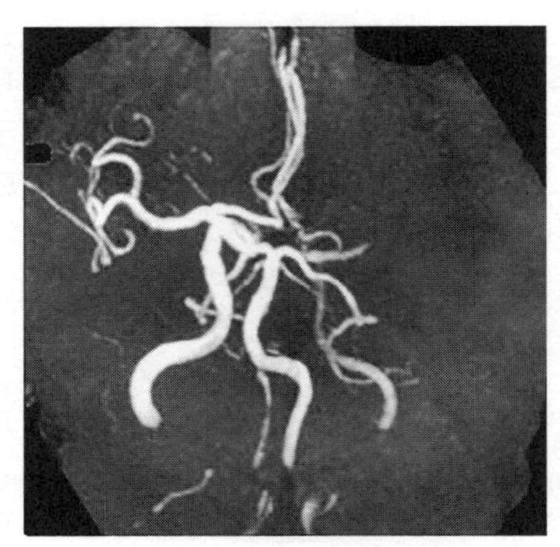

問8 諸検査の結果、本人および家族の同意を得て、rt-PA（アルテプラーゼ）療法を行うこととなった。ICUに入室し、ただちに準備が開始された。看護で適切なのはどれか。**2つ選べ。**

1．半年前の体重を本人から聴取する。
2．身体に打撲痕がないか皮膚の観察を行う。
3．指示量は複数の目でダブルチェックする。
4．シリンジを使用し、持続動注する。
5．投与後は1時間ごと観察を行う。

CHECK!

解答 別冊 P.42～43

問**9**

成 人

55歳男性。起床するとめまいが5分以上続いた。左の聴力の低下と耳鳴りを自覚したため来院する。精査では両側の鼓膜の異常はない。オージオグラムの結果（巻頭カラー【7】）を別に示す。考えられる状態は何か。

1．外耳炎
2．メニエール病
3．真珠腫性中耳炎
4．騒音性難聴
5．良性発作性頭位めまい症

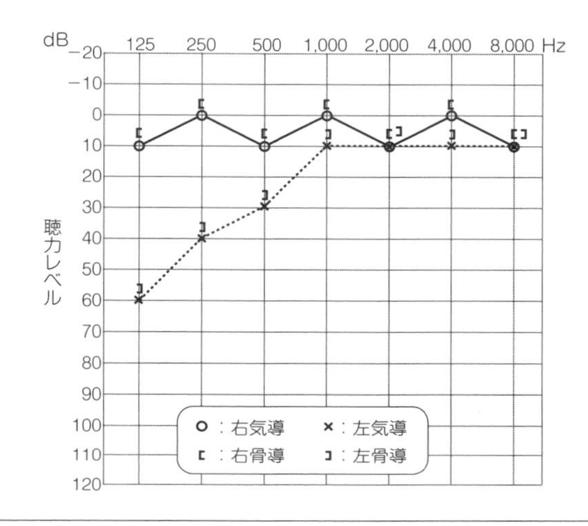

CHECK!

問**10**

成 人

造影CT検査の画像（巻頭カラー【8】）を別に示す。矢印で指す部位の疾患で考えられるのはどれか。

1．腎細胞がん
2．肝細胞がん
3．膵がん
4．胃がん
5．大腸がん

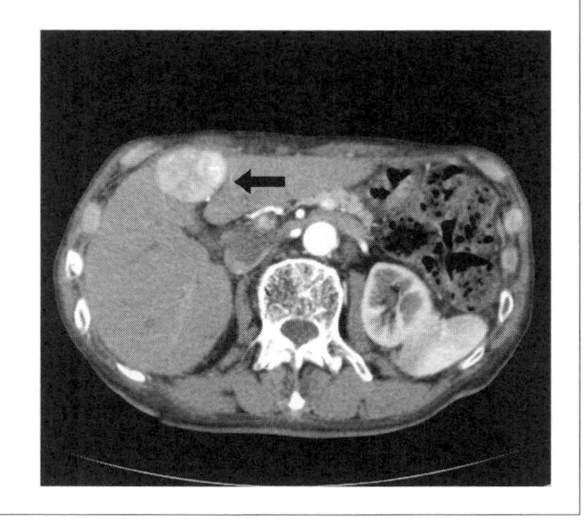

CHECK!

視覚素材問題

解答 別冊 P.43

看護師国家試験
パーフェクト！　**ぜんぶ5肢！の予想問題集**　第5版　定価（本体1,500円＋税）

2010年11月10日　第１版第１刷発行
2011年７月11日　第２版第１刷発行
2017年11月27日　第３版第１刷発行
2020年４月３日　第４版第１刷発行
2022年４月８日　第５版第１刷発行

編　集　メヂカルフレンド社編集部
発行人　小 倉 啓 史
発行所　株式会社メヂカルフレンド社
東京都千代田区九段北３丁目２番４号
〒102-0073 麹町郵便局私書箱第48号
電話（03）3264-6611　振替 00100-0-114708
https://www.medical-friend.co.jp

Printed in Japan
乱丁，落丁本はお取替えいたします.
ISBN978-4-8392-1687-0　C3047

印刷／大日本印刷（株）　製本／（有）井上製本所
303007-147

別冊

看護師国家試験

パーフェクト!

ぜんぶ5肢!の予想問題集

第5版

メヂカルフレンド社

別冊

看護師国家試験

パーフェクト！

ぜんぶ5肢！の予想問題集

第5版

メヂカルフレンド社

解答・解説

必修問題

問1　必修［ウェルネスの概念］

解答 4

×1、2、3、5　○4

「Wellness」という言葉は、公衆衛生医であったハルバート・ダン博士が、健康を表す「Health」を、より総合的な意味を持つ言葉として用いたとされ、個人が持つ潜在能力を最大限に生かす機能を統合したものと定義づけられている。ウェルネスの概念は、幸福で充実した人生を送るために、日々の生活を見直し、生活習慣を改善し、栄養、運動、休養の調和を図り、価値観、ものの見方・考え方についても見直すなかで、自分自身に適合した最高のライフスタイルを築いていくことを目的としている。よって、ある事柄を重要視したり、優先課題としたりすることでなく、総合的調和を目指している概念である。

問2　必修［労働人口］

解答 5

×1：15歳から65歳未満までの年齢に該当する人口である。

×2：従属人口とは、年少人口と老年人口をいう。

×3：年齢3区分別の人口の順位は、生産年齢人口、老年人口、年少人口の順である。

×4：労働意欲の有無に関わらず、日本国内で労働に従事できる年齢の人口という意味の経済学用語である。

○5：戦後増加を続け1995年にピークの8726万人に到達し、その後減少している。

問3　必修［世帯数］

解答 2

×1、3、4、5　○2

令和元年（2019年）の総世帯数は、5178万5000世帯で、最も多いのは単独世帯で28.8%、次いで、夫婦と未婚の子のみの世帯28.4%、夫婦のみの世帯24.4%、ひとり親と未婚の子のみの世帯7.0%、三世代世帯5.1%となっている。

問4　必修［生活行動・習慣］

解答 5

×1：健康増進法に基づき施行される。

×2：調査対象者は満1歳以上からである。

×3、4：生活習慣として、食生活、身体活動、休養（睡眠）、飲酒、喫煙、歯の健康など、生活習慣全般を調査する。

○5：四肢の筋肉量の状況も把握している。

問5　必修［医療保険の種類］

解答 2

×1、3、4、5　○2

医療給付は傷病の治療を対象とする。健康診断、予防接種、美容整形、正常分娩などは対象にならない（異常分娩にかかる費用は対象となる）。

問6　必修［倫理原則］

解答 4

×1：自律の原則は、患者の意思決定を尊重すること。

×2：無危害の原則は、患者に害を及ぼすことを避けること。

×3：正義の原則は、平等かつ公平に行為すること。

○4：善行の原則は、患者にとって利益となる行為をすること。

×5：誠実の原則は、信頼を損ねる行為をしないこと。ほかに、忠誠の原則は、患者の秘密や約束を守ること。

問7　必修［疾病・障害の受容］

解答 2

×1、3、4、5　○2

コーン（Cohn）は、障害受容過程の段階を以下のように定義づけている。

① ショック	受傷直後で、茫然自失し、現実に起きていることを認識できない。
② 回復への期待	自分自身に起きていることを否認し、すぐに治るだろうと思い込む。
③ 悲嘆	現実に直面し、現実に圧倒され、悲しみが襲ってくる。
④ 防衛	前向きに進んでいるが、些細なことにつまずき、防衛機制が起こる。
⑤ 適応	障害を受け入れ、障害は自分の個性のひとつであり、それによって自分の価値がなくなることはないと考え始める段階。少しずつ他者との交流も積極的になっていく。

問8　**必修**［身体の発育］

解答 3

×1：大泉門の閉鎖は1歳半である。

×2：出生時は頭囲が胸囲より大きく、1歳でほぼ一致する。出生時の頭囲は、男児約34cm、女児約33cm。

○3：乳歯は、妊娠初期から形成が始まり、生後6～7か月ごろから生え始める。

×4：体重が出生時の3倍になるのは1歳ごろ。約9kgである。

×5：身長が出生時の2倍になるのは約4歳～4歳半ごろで、約1mである。

問9　**必修**［新生児・乳児期・幼児期・学童期・思春期］

解答 4

エリクソンは、人間の発達段階を8段階に分類し、各発達段階で獲得する課題を説明している。

×1：基本的信頼は乳児期の発達課題である。

×2：主導性は幼児後期の発達課題である。

×3：自律性は幼児初期の発達課題である。

○4：勤勉感は学童期の発達課題である。

×5：アイデンティティの確立は青年期の発達課題である。

問10　**必修**［看護活動の場と機能］

解答 2

○1、3、4、5　×2

医療法第1条の2の2項に、「病院、診療所、介護老人保健施設、調剤を実施する薬局その他の医療を提供する施設（以下「医療提供施設」という。）」と明記されている。

問11　**必修**［チーム医療］

解答 3

×1、2、4、5　○3

栄養サポートチーム（NST）とは、患者に対して適切な栄養管理を行い、全身状態を改善させて合併症を予防することを目指して結成されたチームのことをいう。医師、看護師、管理栄養士、薬剤師、言語聴覚士らがそれぞれの専門的立場からかかわっていく。介護支援専門員は、要介護認定者に対しケアプランを作成する役割をもつ。

問12　**必修**［神経系］

解答 2

×1：大脳は運動野や感覚野など主要な中枢の場で、また精神活動の中枢である。

○2：間脳視床下部は自律神経の統合中枢である。

×3：中脳は目の反射中枢である。

×4：小脳は随意運動の調整、姿勢反射調整を行う。

×5：延髄は呼吸や循環、消化器系の調整中枢である。

問13　**必修**［運動系］

解答 3

×1、4：球関節に該当する。

×2、5：蝶番関節に該当する。屈伸運動しかできない1軸性の関節である。

○3：車軸関節は、1軸性である。関節面が車輪のような形をしていて、その中心を通る線を軸として回旋運動を行う。

問14　**必修**［血液、体液］

解答 1

○1　×2、3、4、5

血清は血漿を遠心分離して取り出した上澄みで、血漿からフィブリノゲンを除いた液体部分をいう。血球とヘモグロビンは含まれない。

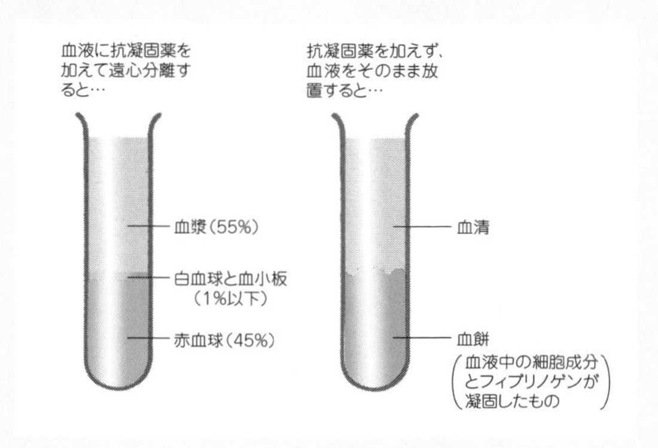

問15 **必修**［消化器系］

解答 1

○1　×2、3、4、5

血管に吸収されるのは単糖類（グルコース、フルクトース、ガラクトースなど）で、二糖類（マルトース、ラクトース、スクロース）や多糖類（デンプン、グリコーゲン）は吸収されない。

問16 **必修**［ショック］

解答 2

×1、3、4、5　○2

アナフィラキシーショックは、血液分布異常性ショックに分類され、アレルゲンによって生ずるショックである。

体内にアレルゲンが侵入すると、ヒスタミンなどの炎症物質が大量に放出されることで、末梢血管が拡張する。それに伴い顔面は紅潮し、血管壁透過性亢進、血圧低下などが起こる。血圧低下により尿量は減少する。気道浮腫が起こり呼吸困難となる。

問17 **必修**［脱水］

解答 5

×1、2、3、4　○5

高張性脱水は、水分不足によって生ずる脱水である。循環血液量が減少し、血圧低下、尿量減少、唾液分泌減少、皮膚弾力性低下、血漿浸透圧上昇、高ナトリウム血症などの症状がみられる。

	高張性脱水	等張性脱水	低張性脱水
病態	体液中の水分が欠乏	体液中の水分と Na がともに減少	体液中の Na が欠乏
原因／誘因	・水分摂取不足 ・尿崩症による尿量増加 ・不感蒸泄の増加 など	・消化液の喪失 ・嘔吐・下痢 ・糖尿病 など	・大量の消化液の喪失 ・大量の嘔吐・下痢 ・大量の発汗 ・Na 喪失性疾患 ・腎障害 など
特徴的な症状	強い口渇、尿量減少、頻脈、発熱	体重減少、頻脈、軽度の口渇	頻脈、低血圧、頭痛、痙攣、意識障害

問18 **必修**［血液生化学検査］

解答 4

×1、2、3、5　○4

血球数は血液が凝固すると測定不良となるので、抗凝固剤入り採血管を使用する。血清を取り出したい検査の時は何も入っていない採血管、あるいは凝固促進剤入りの採血管を使用する。

問19 **必修**［副腎皮質ステロイド薬］

解答 5

×1、2、3、4　○5

副腎皮質ステロイド薬の有害事象は、高血糖、骨粗鬆症、感染症、消化性潰瘍、中心性肥満、満月様顔貌などである。骨髄抑制は抗がん薬、呼吸抑制はモルヒネの有害事象である。また、聴力障害は抗菌薬のアミノグリコシド系で生じる。

問20 **必修**［呼吸音聴取］

解答 2

×1：肺水腫では断続性副雑音で水泡音が聴取される。

○2：気管支喘息では連続性副雑音で笛を吹いたような呼吸音が聴取される。

×3、5：自然気胸や肺気腫では呼吸音は減弱する。気胸では聴取不能となる。

×4：胸膜炎では雪を踏む時の「きゅ、きゅ」というような音が聴取され、胸膜摩擦音という。

連続性副雑音（乾性ラ音）	
低調性連続性副雑音 (rhonchus)	いびき音：「グーグー」
高調性連続性副雑音 (wheeze)	笛声音：「ヒューヒュー」
断続性副雑音（湿性ラ音）	
粗い断続性副雑音 (coarse crackles)	水泡音：「ブツブツ」
細かい断続性副雑音 (fine crackles)	捻髪音：「パチパチ」

問21 **必修**［導尿］

解答 5

×1：女性の尿道の長さは約3～4cm。膀胱留置カテーテルの挿入の長さはそれからさらに2～3cm程度長めとする。よって5～7cm程度。

×2：尿流出を確認後、2～3cmカテーテルを進めたあとに、バルーンを固定する。

×3：固定用バルーンに注入するのは滅菌蒸留水がよい。生理食塩水は結晶化し抜けなくなることがある。

×4：蓄尿バッグは挿入部より下におく。

○5：女性の場合は大腿内側に固定する。

問22 **必修**［ボディメカニクス］

解答 4

○ 1、2、3、5　× 4

腰を曲げると腰痛の原因となる。腰を伸ばし膝を曲げる。ボディメカニクスの原則は以下である。

①対象を小さくまとめる。②対象に近づく（自分の重心を対象の重心に近づける）。③支持基底面を広くする（重心線は基底面を通過する）。④重心を低くする（腰を伸ばして膝を曲げる）。重心＝第２仙骨の高さ。⑤大きな筋群を動かす（腹筋を引き締めて左右の殿部に均等に力をかける）。⑥持ち上げるのではなく、押すよりも水平に引く（摩擦力が小さくなる）。⑦てこの原理を活用する。

問23 **必修**［標準予防策〈スタンダードプリコーション〉］

解答 4

× 1、2、3、5　○ 4

スタンダードプリコーション（標準予防策）の対象は、感染の有無にかかわらず、入院患者すべてに適用される。血液、目に見える血液の有無にかかわらずすべての体液、分泌物、排泄物（汗を除く）、粘膜、創傷皮膚は感染の可能性があるものとして考える。

問24 **必修**［輸液ポンプ、シリンジポンプ］

解答 3

× 1、2、4、5　○ 3

0.05g/10mL　→　50mg/10mL。これを５時間で注入するので、１時間につき 10mg/２mL となる。

問25 **必修**［鼻腔カニューラ］

解答 3

× 1、2、4、5　○ 3

大気中の酸素濃度は 21％である。酸素吸入しているので 21％以上であることを踏まえる。

酸素流量（L/分）	吸入酸素濃度の目安（%）
0	20
1	24
2	28
3	32
4	36
5	40
6	44

5肢択一問題

問1 人体［細胞小器官と細胞骨格］
解答 2
×1：リボソームはタンパク質の合成を行う。
○2：ミトコンドリアはATPの合成を行う。
×3：ゴルジ装置は分泌物質の合成と貯蔵を行う。
×4：リソソームは細胞内消化を行う。
×5：小胞体はタンパク質の合成（粗面小胞体）と物質の輸送を行う。

問2 人体［感覚と運動の伝導路］
解答 2
×1：皮膚刺激は後根を通る。
○2：上行性伝導路は感覚系で、皮膚→後根→対側脊髄→視床→大脳皮質感覚野で感覚を成立させる。また、下行性伝導路は運動系で、大脳皮質運動野→内包→延髄錐体交叉→脊髄→前根→筋肉の順である。
×3：指令は、大脳皮質の前頭葉の中心前回にある運動野から発せられる。
×4：大脳と脊髄を結ぶ下行性伝導路を錐体路という。運動中枢からの指令は錐体路を通る。
×5：脊髄で運動神経に連絡するが、運動神経は前根を通り、骨格筋に達する。

問3 人体［感覚器系］
解答 4
×1：視覚の受容器は網膜である。鼓室は中耳の部分で、耳小骨がある。
×2：平衡覚は内耳の前庭（体の傾き）と半規官（体の回転）が担う。
×3：聴覚は内耳の蝸牛管が担う。
○4：嗅覚は鼻粘膜にある嗅細胞が受容器である。
×5：味覚の受容器は舌乳頭に存在する味蕾である。

問4 人体［血管系の構造と機能］
解答 1
○1：動脈と静脈は同じく3層構造で、内膜、中膜、外膜からなる。
×2：内膜は内皮細胞、中膜は平滑筋線維、外膜は結合組織からなる。
×3：骨格筋の収縮は、静脈の血流を助けている。
×4：胸管は最大のリンパ管で、脂肪成分（カイロミクロン）を運搬し、左静脈角に合流する。
×5：動脈性塞栓は心房細動が原因であることが多く、動脈血流に乗って、脳梗塞や腎梗塞を起こすことがある。静脈系塞栓は、末梢で形成された血栓が静脈血流にのって、肺動脈を閉塞させる（肺塞栓）。

問5 人体［血液の成分］
解答 3
×1：遠心分離した場合、1層：血漿、2層：血小板・白血球、3層：赤血球に分かれる。
×2：細胞成分で最も多いのは赤血球で約450万～550万/μLである。白血球は約4000～8000/μL、血小板は13万～35万/μLである。
○3：血球成分は骨髄で生成される。
×4：液体成分からフィブリノゲンを取り除いたものは血清という。
×5：血漿タンパク（総タンパク量6.7～8.3/g/dL）はアルブミン、グロブリン、フィブリノゲンからなり、最も多いのはアルブミン（約3.8～5.3g/dL）である。

問6 人体［酸塩基平衡］
解答 4
×1：呼吸性アシドーシスは動脈血二酸化炭素分圧（$PaCO_2$）が上昇する病態で、慢性閉塞性肺疾患（COPD）などでみられる。過換気症候群では呼吸性アルカローシスとなる。
×2：呼吸性アルカローシスでは動脈血二酸化炭素分圧が低下する。重炭酸イオン（HCO_3^-）の増加は代謝性アルカローシスでみられる。
×3：代謝性アシドーシスでは重炭酸イオンが減少する。
○4：代謝性アルカローシスにより重炭酸イオンが増加すると、代償作用として動脈血二酸化炭素分圧を上昇させるようにはたらくため、呼吸が抑制される。
×5：動脈血pHの正常値は7.35～7.45であるので、7.4±0.05である。血液がアルカリ性に傾いた状態（pHは7.45より大きくなる）をアルカローシス、血液が酸性に傾いた状態（pHは7.35より小さくなる）をアシドーシスという。

問7 人体［特異的生体防御反応（免疫系）］
解答 4
×1、3：B細胞から分化した形質細胞は抗体産生細胞である。また、単球から分化したマクロファージは、抗原提示細胞になる。
×2：液性免疫は、B細胞などが産生する抗体が任う免疫反応である。キラーT細胞(細胞傷害性T細胞)は、細胞性免疫を任う。

○4：IgG は胎盤通過性があり、血中に最も多く存在する抗体である。

×5：IgA は唾液や母乳，腸液などの分泌物に含まれる抗体で、消化管粘膜の防御を行う。抗体のうち最も分子量が大きいのは IgM である。

問8　人体［消化と吸収］

解答 5

×1：ガストリンは幽門部にある幽門腺のG細胞から分泌される消化管ホルモンで、胃液の分泌を促進させる。

×2：胃液に含まれる消化酵素はペプシンで、タンパク質を分解する。

×3：胆汁は脂肪の分解に関与するが、脂肪分解酵素は含まない。脂肪を乳化させ、脂肪分解酵素であるリパーゼがはたらきやすいように手助けしている。

×4：アミノペプチダーゼは腸液に含まれる、タンパク分解酵素である。

○5：栄養素の吸収は主に小腸で行われ、糖質は単糖類まで分解されて吸収される。またタンパク質はアミノ酸まで分解されて吸収される。

問9　人体［肝臓・胆道の構造と機能］

解答 2

×1：肝門から出入りするのは、門脈、固有肝動脈、肝管である。肝静脈は肝臓の後面から出る。

○2：肝臓は多角形の肝小葉で形成されている。肝小葉の中央部には中心静脈があり、中心静脈の周囲に放射状に肝細胞が配列されている。肝小葉の間には小葉間結合組織が存在する。小葉間結合組織は小葉間動脈、小葉間静脈、小葉間胆管の3種類の管（三つ組）を有している。小葉間動脈、小葉間静脈は類洞を経て中心静脈に合流する。小葉間胆管は肝細胞から分泌された胆汁を運び肝外へ排出する。

×3：肝臓に存在する血液は、静脈血が4/5、動脈血が1/5で、暗赤色を呈する。

×4：肝臓にはアンモニアを処理するオルニチン回路があり、尿素につくり替える。

×5：肝臓は胆汁を生成するが、貯蔵はしない。貯蔵するのは胆嚢である。

問10　人体［消化管ホルモン］

解答 2

×1：GLP-1 はインクレチンの一つで、小腸から分泌される。

○2：GIP は、インクレチンの1つで、膵臓のランゲルハンス島のB細胞からのインスリン分泌を促す。

×3：ガストリンは幽門粘膜から分泌され、胃液の分泌を促進させる。

×4、5：コレシストキニンとセクレチンは十二指腸粘膜から分泌され、胃の運動や胃液分泌を抑制し、膵液の分泌を促す。またコレシストキニンは胆嚢を収縮させ胆汁の排泄を促す。

問11　人体［泌尿器系］

解答 4

×1：タンパク質は糸球体で濾過されないためボウマン嚢には存在しない。

×2：通常、アルブミンなどの血漿タンパクは糸球体で濾過されないためボウマン嚢には存在しない。

×3：クレアチニンは、糸球体で濾過された後、ほとんど再吸収されず尿中に排出される。

○4：アミノ酸は糸球体で濾過されるためボウマン嚢に存在するが、ブドウ糖と同様に、近位尿細管で100%再吸収されるため尿には存在しない。

×5：赤血球は糸球体で濾過されないためボウマン嚢には存在しない。

問12　人体［内分泌系］

解答 5

×1：バソプレシンは下垂体後葉から分泌される。

×2：甲状腺刺激ホルモンは、下垂体前葉から分泌される。

×3：アルドステロンは副腎皮質の球状帯から分泌される。集合管はアルドステロンが作用する標的器官。

×4：グルカゴンは､膵臓ランゲルハンス島のA細胞（α細胞）から分泌される。

○5：プロゲステロンは卵巣の黄体から分泌される。

問13　疾病［循環障害、臓器不全］

解答 5

×1：血漿成分が血管外へ流出するのは、炎症時に血管壁透過性が亢進することで生ずる。

×2：赤血球の破壊では溶血性貧血が生ずる。

×3：血漿膠質浸透圧の低下は、アルブミンの低下で起こる。血液中の水分が血管外へ漏出する。

×4：血漿膠質浸透圧の低下はネフローゼ症候群などでみられる。心不全時にみられる浮腫は、静脈還流の停滞が起こり、毛細血管内圧が上昇して下肢に浮腫が生ずる。

○5：血中アルブミンが低下すると、不足分を補うために肝臓でアルブミンを産生するようにはたらく。この時、同時にLDLコレステロールも産生され、高LDLコレステロール血症を伴う。

問14 **疾病**［腫瘍］

解答 2

×1、3、4、5　○2

肺がんは扁平上皮がんや腺がん、膵臓がんは腺がん、大腸がんは腺がん、子宮頸がんは扁平上皮がん、膀胱がんは移行上皮がんが多い。

問15 **疾病**［ウイルス］

解答 3

×1：ウイルスは生きた細胞でしか増殖できない。

×2：大きさは20nmくらいで電子顕微鏡でしか確認できない。

○3：ウイルスは、DNAあるいはRNAのいずれかをもっている。細胞は、DNAとRNA両方をもっている。

×4：細胞壁は細菌がもつ。ウイルスにはない。

×5：アルコール消毒は有効である。

問16 **疾病**［疾病に対する薬物療法］

解答 4

×1：非ステロイド性抗炎症薬は、シクロオキシゲナーゼを阻害することで、プロスタグランジンの合成を抑制し、発熱や痛みを抑える。また、トロンボキサンA_2の産生を抑制することで、血小板凝集を阻害する。

×2：副腎皮質ステロイド薬は、抗炎症作用、免疫抑制作用、抗ストレス作用がある。

×3：H_2受容体遮断薬は、胃液分泌を抑制する。

○4：カルシウム拮抗薬は、血管を拡張させて血圧を下げる作用がある。

×5：ジギタリス製剤は、房室伝導時間を延長させ、徐脈傾向となる。また心筋を刺激して心収縮力を高め、循環を改善する。

問17 **疾病**［疾病に対する薬物療法］

解答 5

×1：前投薬で使用する。

×2：術後の疼痛などに対して使用する。

×3：腸閉塞は、腸蠕動が亢進し疼痛を伴うため、抗コリン薬を使用する。

×4：心拍数が増加するため、房室ブロックに使用される。

○5：散瞳を起こし、眼圧が上昇するため、緑内障には禁忌である。

問18 **疾病**［疾病に対する薬物療法］

解答 3

×1：ニトログリセリンは血管を拡張するため低血圧となる。

×2：サルファ剤は新生児に投与すると核黄疸を起こす危険性があり、禁忌である。歯牙形成障害はテトラサイクリン系抗菌薬の副作用である。

○3：抗甲状腺薬（チアマゾール）の重篤な副作用として無顆粒球症がある。

×4：リトドリン塩酸塩はβ受容体刺激薬であり、子宮筋収縮を抑制するため切迫早産で使用される。副作用に心悸亢進や便秘がある。

×5：ジギタリス製剤は強心薬であり、心筋の収縮力増強作用や徐脈作用があり、発作性上室性頻拍に対して使用される。副作用に房室ブロックや洞房ブロック、不整脈がある。

問19 **疾病**［心臓の疾患の病態と診断・治療］

解答 4

×1：僧帽弁閉鎖不全症では、収縮期に僧帽弁が閉じないため、収縮期に心室内の血液が心房へ逆流する収縮期逆流性心雑音が聴取される。

×2：心タンポナーデは心膜腔に液体が貯留し拡張障害を起こす疾患である。心雑音は認めず、心音が減弱する。

×3：心筋梗塞では心雑音は聴取しない。ただし、心不全徴候となった場合は、Ⅲ音のギャロップ音（奔馬音）を聴取することがある。

○4：大動脈弁閉鎖不全症では、拡張期に弁が閉じないため、収縮期に駆出された血液が一部、心室へ戻ってしまう拡張期逆流性心雑音が聴取される。

×5：大動脈弁狭窄症では、収縮期に弁が開かないため、むりやり血液を駆出させようと、収縮期駆出性心雑音が聴取される。

問20 **疾病**［ショックの病態と診断・治療］

解答 1

○1：エンドトキシンショックは敗血症性ショックである。グラム陰性桿菌の感染により、内毒素であるエンドトキシンが放出され、ショックを起こす。血液分布異常性ショックには、敗血症性ショック、神経原性ショック、アナフィラキシーショックがある。
×2：心筋梗塞では心原性ショックが生じる。
×3：心タンポナーデでは心外閉塞・拘束性ショックが生じる。
×4：大量出血では血液が大量に失われ、循環血液量減少性ショックが生じる。
×5：肺塞栓では心外閉塞・拘束性ショックが生じる。

問21 **疾病**［栄養の摂取・消化・吸収・代謝機能］
解答 4
×1、2：胃潰瘍で生じるのがニッシェ像（突出像）、腸閉塞で生じるのがニボー像（鏡面像）である。
×3：クールボアジェ徴候とは、総胆管が狭窄し胆汁がうっ滞することで胆嚢内に胆汁が蓄積し、その結果として胆嚢が腫大化する徴候であり、膵頭部がんなどで認める。腹部触診で胆嚢が触知できるが無痛性である。膵尾部がんでは見られない。
○4：ブルンベルグ徴候とは、腹部を圧迫し、急に圧迫を解くと激痛を生じる徴候であり、腹膜炎で認める。
×5：ヒポクラテス顔貌とは、眼窩が落ちくぼみ、頬はこけ、唇は弛緩して垂れ、顔は青白い様相を呈した顔貌であり、消耗性疾患や死戦期、悪液質で認める。

問22 **疾病**［内分泌系の疾患の病態と診断・治療］
解答 2
×1：慢性甲状腺炎（橋本病）は自己免疫疾患の一つである。甲状腺細胞に対する抗体ができ、甲状腺組織にリンパ球が浸潤し、巨大で硬い甲状腺腫を呈する（びまん性甲状腺腫大）。また、次第にサイロキシンの分泌が低下し、粘液水腫の様相を呈するようになる。
○2：クッシング症候群はコルチゾールの過剰により生じる疾患であり、高血糖、胃潰瘍、易感染、骨粗鬆症、中心性肥満などの症状を呈する。
×3：バセドウ病では色素沈着は起きない。
×4：原発性アルドステロン症はアルドステロンの分泌過剰により起こる疾患であり、高血圧症、低カリウム血症が生じる。
×5：インスリノーマは膵臓内分泌腫瘍からのインスリン過剰分泌により生じる疾患であり、低血糖、体重増加が起こる。

問23 **疾病**［糖尿病］
解答 1
○1、×2：高浸透圧性非ケトン性昏睡は、2型糖尿病で生ずる昏睡で細胞内脱水が原因である。1型糖尿病で起こりやすいのはケトアシドーシス性昏睡である。
×3：糖尿病性腎症は糖尿病の慢性合併症であり、昏睡が起こるわけではない。
×4：ケトン体の蓄積が著しいのは1型糖尿病である。
×5：インスリン過剰で生ずるのは低血糖昏睡である。

問24 **疾病**［聴覚障害（難聴、Ménière〈メニエール〉病］
解答 2
×1：気導閾値と骨導閾値が上昇するのは感音性難聴である。
○2：感音性難聴とは異なり、伝音性難聴では骨導聴力は低下しないため、骨導聴力検査では患側が大きく聞こえる。
×3：伝音性難聴は外耳や中耳の障害である。メニエール病は内耳の障害であるため、感音性難聴である。伝音性難聴には外耳炎や中耳炎がある。
×4：老人性難聴は感音性難聴である。
×5：伝音性難聴は小さな声では聞こえにくいが、大きい声では聞こえやすい。大きい声で雑音となるのは感音性難聴である。

問25 **社保**［労働基準法］
解答 3
×1：子の看護休暇は、小学校就学前の子が一人の場合、年5日間休暇を申請することができる制度で、育児介護休業法に規定されている。
×2：育児休業は、原則、養育する1歳未満の子の育児のために休業することができる。育児介護休業法に規定されている。
○3：育児時間は、授乳など生児を育てるための時間で、1日30分ずつ2回請求できる。労働基準法に規定されている。
×4：妊婦の時差通勤の配慮は、男女雇用機会均等法に規定されている。
×5：生理休暇は労働基準法に規定されているが、妊産婦に対する保護規定ではない。

問26 **社保**［社会保険制度の基本］
解答 3
○1：健康保険は、被用者保険の一つで、中小企業に勤める従業員が加入する保険で、保険者は全国健康保険協会である。
○２：国民年金は、20歳から60歳未満までの国民が加入する年金で、保険者は政府である。その現業業務を取り扱う機関が日本年金機構である。
×３：介護保険は市町村および特別区が保険者となる。
○４：雇用保険は、被用者が加入する保険で、失業時の生活を一時補償する保険である。保険者は政府で、その現業業務を取り扱う出先機関が公共職業安定所（ハローワーク）である。
○５：労働者災害補償保険は、業務あるいは通勤災害に見舞われた時に補償する保険で、保険者は政府で、その現業業務を取り扱う出先機関は労働基準監督署や都道府県労働局である。

問27　社保［介護保険制度］

解答 1

○１：認定は、要支援と要介護があり、要支援は予防給付となる。
×２：第１号被険者は65歳以上の者で、第２号被保険者は40歳から64歳までの医療保険加入者である。
×３：要介護認定は、市町村に設置された介護認定審査会で決定される。
×４：サービスは、居宅、施設、地域密着型サービスの３種類である。
×５：地域包括支援センターでは要支援者のケアプランを作成する。

問28　社保［年金制度］

解答 2

×１：強制加入である。
○２：第１号被保険者は自営業者や自由業の人、第２号被保険者は被用者本人、第３号被保険者は第２号被保険者の被扶養配偶者である。
×３：加入年齢は、20歳以上60歳未満の人である。
×４：国民年金の保険料は所得による差はなく、一律で定められている。
×５：国民年金事業は政府が管掌する。実際の運営事務の多くは日本年金機構が行っている。

問29　社保［障害者（児）に関する法や施策］

解答 3

×１：療育の給付は、結核児童に対する学習や療養生活に必要な物品支給や医療給付をいう。児童福祉法に規定されている。
×２：療育手帳は、知的障害児、知的障害者に対し交付される手帳で、都道府県知事（指定都市にあっては市長）が交付する。法的根拠はなく、1973年に成立した療育手帳制度に基づく。
○３：育成医療は障害者総合支援法の自立支援医療である。児童福祉法に規定する障害児に対し自立支援医療費の支給を行う。
×４：養育医療は、未熟児に対する医療給付で、母子保健法に規定されている。
×５：更生医療は身体障害者に対する医療給付で、障害者総合支援法に規定されている。

問30　社保［健康に関する指標に基づく公衆衛生］

解答 4

○１、２、３、５　×４

人口動態統計は、毎年調査される統計で、出生率、死亡率、婚姻率、離婚率、死産率の項目である。保健所が取りまとめる。

受療率とは、患者調査によって出る統計で、患者がどのくらい医療機関を利用したかを、人口10万対で表した数値である。3年に１回、ある１日をとってカウントされる。入院と外来に分ける。

問31　社保［予防接種］

解答 4

×１：早いものでは生後２か月からの接種が推奨されているものもある。
×２：不活化ワクチンでは接種後24時間、生ワクチンでは接種後３週間は副反応に注意する。
×３：季節による規制は現在のところはない。
○４：接種不適当者は、①接種当日明らかな発熱がある者、②重篤な急性疾患にかかっている者、③インフルエンザワクチンの成分でアナフィラキシーショックを起こした者等である。
×５：気管支喘息などのアレルギー疾患を有する者は慎重に接種を行う接種要注意者である。

問32　社保［保健師助産師看護師法］

解答 5

×１、２、３、４　○５

保健師助産師看護師法の主な改正年度経緯は以下のとおり。

1948 （昭和23年）	制定
1951 （昭和26年）	甲種・乙種看護婦の区別の廃止と准看護婦の創設。
2001 （平成13年）	絶対的欠格事由削除、素行の著しく不良な者の条項削除。守秘義務追加。「婦」「士」から「師」に統一。

2006（平成 18 年）	行政処分を受けた看護師などの再教育などを規定。看護師、保健師、助産師、准看護師に名称独占追加。保健師・助産師の免許付与要件に、看護師国家試験の合格を追加。
2009（平成 21 年）	看護師の国家試験受験資格の１番目に「大学」を明記。保健師助産師の教育年限を６カ月以上から１年以上に変更。卒後臨床研修の「努力義務」を追加。
2015（平成 27 年）	看護師の特定行為、特定行為研修の基準、指定研修機関の指定の基準などを追加。

問33 基礎［看護の変遷］

解答 1

○１：有志共立東京病院看護婦教育所は 1885 年（明治 18 年）、高木兼寛により設立された。
×２：看護婦規則は 1915 年（大正４年）公布された。これにより公的試験が導入された。
×３：保健師助産師看護師法は 1948 年（昭和 23 年）制定された。
×４：産婆規則は 1899 年（明治 32 年）に公布された。
×５：高知女子大学衛生看護学科の設置は 1952（昭和 27 年）で、大学での看護教育の初めである。

問34 基礎［看護の対象］

解答 4

○１：人間は、みんなが持っている共通性とその人だけが持っている個別性の存在である。
○２：人間とは、部分の総和ではなく、総和以上の、しかも総和とは異なる特性を示す統一体である。
○３：人間と環境はエネルギーを交換しあう開放系である。
×４：人間にはホメオスタシスが備わっており、外部環境が変化しても内部環境は変化しない。
○５：表に出る部分と隠されている部分のニードがある。

問35 基礎［看護過程］

解答 3

×１：主観的情報と客観的情報に優劣はない。どちらも重要である。
×２：問題は、潜在的問題も明確化する。
○３：生命維持が優先される。
×４：疾患名が明確になっていなくても、そこに問題があれば、看護計画は立案できる。
×５：評価には数値化できないものもある。

問36 基礎［フィジカルアセスメント］

解答 1

×１：腹部観察法では、視診→聴診→打診→触診の順である。
○２、３：聴診や打診では腹部を緊張させたほうが観察しやすいので膝は伸ばす。触診ではリラックスさせるため膝は曲げる。
○４、５：痛みは事前に聞いておき、浅い触診から深い触診へ進み、痛い箇所は最後に触れる。

問37 基礎［感染の成立と予防］

解答 1

○１　×２、３、４、５

感染成立には、以下の６つの要件の連鎖がある。

①病原体（病因）：ウイルス、細菌、真菌、原虫など
②感染源（病原巣）：患者、医療者、環境、医療機器など
③排出門戸（排出口）：くしゃみ、痰、咳、便、
④感染経路（伝播経路）：接触、飛沫、空気、昆虫媒介感染など
⑤侵入門戸（侵入口）：口、鼻、創傷など
⑥宿主（感受性宿主）：乳幼児、高齢者、免疫力の低下した人、栄養状態不良の人など

問38 基礎［感染防止対策］

解答 5

×１、２、３、４　○５

ガウンテクニックの手順は以下のとおり。

①擦式手指消毒薬で消毒する。②マスクをする。③キャップをかぶる。④ガウンを着る。⑤手袋をする。（②③順不同）

問39 基礎［褥瘡の予防と治癒の促進］

解答 3

○１、２、４、５　×３

ブレーデンスケールは、褥瘡予測スケールで、危険度を合計６～23 点で評価する。点数が低いほど褥瘡発生の危険が高まり、14 点以下で褥瘡が発生しやすい。

項目は、①知覚の認知、②湿潤、③活動性、④可動性、⑤栄養状態、⑥摩擦とずれである。

問40 基礎［生体機能のモニタリング］

解答 1

○１：パルスオキシメーターは、経皮的に動脈血酸素飽和度（SpO_2）と脈拍数をモニタリングするための医療機器である。赤外光を用いて血中の酸

素ヘモグロビンと還元ヘモグロビンの量的な差を測定し、吸光度の比から両者の比率を計算してSpO_2を求める。正常値は95～100％であり、低酸素状態の早期発見に役立つ。正確に測定されない状況として、①マニキュアを塗っている、②動脈が触知できない、③末梢循環不全がある、④指先が冷たい、⑤異常ヘモグロビンが存在している（一酸化炭素ヘモグロビンやメトヘモグロビンなど）、⑥不整脈がある、⑦貧血がある（ヘモグロビン自体が少ないので低酸素状態だと感知してしまう）、などがある。

×2、3、4、5：脈拍で感知しているので、血圧や皮膚の色（皮下組織の色素）、輸血などによる影響はない。

問41 基礎［生体機能のモニタリング］

解答 5

×1：前投薬として使用する抗コリン薬は、副作用として便秘があり、また眼圧の上昇や尿閉をもたらすことがあるので、便秘や緑内障、前立腺肥大の有無を確認する必要がある。

×2：腸管洗浄液は2Lを約2時間ほどかけて飲水する。

×3：便が透き通った液体になったことを確認した後に検査する。

×4：咽頭を麻酔していないので、検査後は飲水を行ってもよい。

○5：下血の有無の観察を行う。

問42 基礎［検体検査］

解答 4

×1：尿定性検査は新鮮尿がよい。

×2：副腎皮質ホルモンは日内変動があり、朝型多く夕方以降減少する。こうした日内変動がある場合は、蓄尿がよい。

×3：血液培養は、血液内に病原体が存在するか確認する検査で、病原体が増殖しやすい環境に置く必要がある。冷蔵庫に入れておくと増殖が抑制される。すぐ検査できない時は、35～37℃に保ったふ卵器がよい。

○4：喀痰採取では口腔内の雑菌を混入させないために、口腔内を清掃してから採取する。

×5：凝固検査には、クエン酸ナトリウム入り採血管を使う。

問43 成人［成人期の発達課題の特徴］

解答 4

×1：筋肉量が増加するのは青年期。

×2、5：心重量は年齢とともに増加傾向となる。身長の低下は老年期である。

×3：流動性知能とは情報処理能力のことで、青年期でピークに達する。壮年期では洞察力や理解力などの結晶性知能がピークに達する。

○4：性的機能は低下していく。

問44 成人［救急看護、クリティカルケア］

解答 4

×1、2、3、5　○4

人工呼吸器は陽圧で酸素を吸入されるので、胸膜が弱くなり、気胸や皮下気腫が起こることがある。また、陽圧で押しているので、心臓へ戻る循環血液量が減少し心拍出量が低下する。そのため血圧が低下し、心拍数が増加する。

問45 成人［救急看護、クリティカルケア］

解答 4

○1：挿管チューブ挿入のために頸部は後屈にする。

○2：電池の消耗に注意する。

○3：スタイレットを先端から出すと気道を傷つける。

×4：挿管チューブのカフには空気を入れる。

○5：正しい位置に挿管チューブが挿入されているか、バッグ（バッグバルブマスク）し、両方の肺の呼吸音を聴取する。

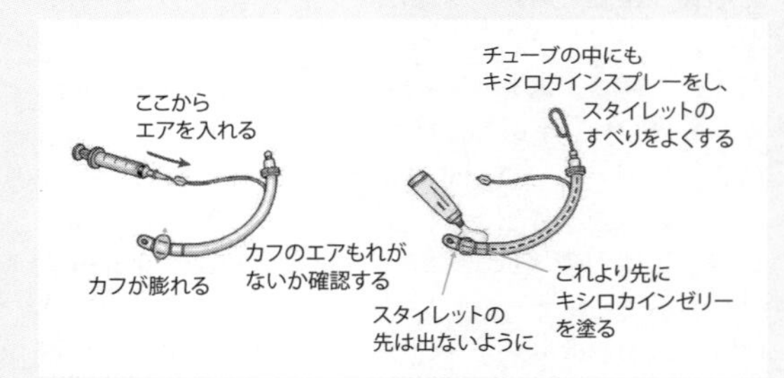

問46 成人［生体反応］

解答 1

○1　×2、3、4、5

傷害期は、術直後から2～4日の時期をいう。内分泌系は亢進し、血圧上昇、血糖値上昇、体温上昇、浮腫、腸蠕動低下などの生体反応がみられる。タンパク質の分解が亢進し、窒素平衡は負となっている。

傷害期（異化期） （術後2～4日）	創痛のため体動困難、内分泌系亢進、血圧・血糖値上昇、頻脈、異化亢進、体動緩慢、関心の欠如、尿量減少、窒素平衡は負

転換期（変換期）（術後３日目前後から１～２日間）	創痛消失で体動が容易になる、内分泌系正常化、バイタルサイン正常化、尿量増加、窒素平衡は正
筋力回復期（術後２～５週間）	体動に苦痛を伴わず体力も回復、代謝正常化、タンパク質合成
脂肪蓄積期（術後数か月）	体力は十分に回復、脂肪合成蓄積、性機能回復、体重増加

問47　成人［慢性疾患］

解答 3

×1、2、4、5　○3

体重（kg）÷（身長［m］^{2}）で求める指数をBMI指数といい、18.5～25未満が標準、25以上を肥満と判定する。判定基準は以下のとおり。

（日本肥満学会）

25～30未満	30～35未満	35～40未満	40以上
肥満１度	肥満２度	肥満３度	肥満４度

身長160cm、体重80kgの男性の肥満度は、体重（kg）÷（身長［m］^{2}）＝ 80 ÷ 1.6^2 ＝ 31.25。肥満２度である。

問48　成人［がん患者の治療と看護］

解答 2

○1、3、4、5　×2

WHO鎮痛薬投与の４原則は以下のとおり。

1．経口投与が基本　(by the mouth)
2．時刻を決めて定期的に　(by the clock)
3．患者ごとに適量を　(for the individual)
4．細かい配慮をすること (with attention to detail)

問49　成人［換気障害］

解答 1

○1　×2、3、4、5

閉塞性換気障害の曲線である。１秒率は低下し、残気量は増加、二酸化炭素分圧（$PaCO_2$）は上昇し、酸素分圧（PaO_2）は低下する。％肺活量が低下するのは拘束性換気障害である。

問50　成人［治療を受ける患者への看護］

解答 3

×1：心嚢ドレーンは術後の浸出液貯留に備えて、心臓下に挿入される。

×2：直腸モニターは、継続的な体温経過を見るために、直腸に挿入される。

○3：循環動態を見るためにスワンガンツカテーテルが挿入される（右心カテーテル検査）。静脈に挿入し、肺動脈楔入圧で肺毛細血管圧や左心房圧が確認できる。

×4：大動脈内バルーンパンピングは、心原性ショックなどで、低心拍出量症候群が起きた時に使用される補助循環装置である。

×5：心停止に備えて、術後数日は体外式ペースメーカーが装着される。

問51　成人［腎生検］

解答 3

×1：腎生検で留意しなければならないのは出血である。よって、生検前は、凝固系や出血素因などをチェックする必要がある。

×2：検査体位は腹臥位である。腎臓は後腹膜臓器である。

○3：呼吸している状態で穿刺すると、呼吸に合わせて腎臓が上下するので、危険である。穿刺時は一時呼吸を止めてもらう。

×4：検査後の出血を予防するために、検査後は24時間安静が望ましい。歩行は翌日がよい。

×5：検査後、食事は禁止されない。

問52　成人［内分泌機能障害のある患者の看護］

解答 2

○1：１型糖尿病は膵臓のランゲルハンス島β細胞の破壊によるインスリン分泌不全で、インスリン療法が必要となる。

×2：尿崩症は、バソプレシンの分泌が減少し多尿となる疾患である。水分は制限しない。

○3：原発性アルドステロン症は、アルドステロンの分泌が亢進し、高血圧、低カリウム血症を引き起こす疾患である。カリウム補給のために果物は摂取してよい。

○4：アジソン病は、副腎皮質ホルモンの分泌が低下し、低血糖、低血圧、また色素沈着が起こる疾患である。糖質を携帯し低血糖時には補給する。

○5：褐色細胞腫は、カテコールアミンの分泌が増加し、高血圧や高血糖を引き起こす疾患である。高血圧に注意する。

問53　成人［筋萎縮性側索硬化症〈ALS〉］

解答 1

×1：筋萎縮性側索硬化症は、上位および下位運動ニューロンが障害される疾患で、感覚系は障害されない。よって、尿意や便意もあり、痛みも訴えることができるので、膀胱直腸障害はない。

○2：運動ニューロンが障害される。

○3：発病初期は、小手筋が障害され、手でものをつかむことができないことから気づかれる。
○4：錐体路の障害では病的反射であるバビンスキー反射が陽性となる。
○5：腱反射は錐体路がコントロールしており錐体路が障害を受けると制御できず、腱反射は亢進する。

問54 成人［運動機能障害のある患者の看護］
解答 2
×1：クラッチフィードは、頸椎脱臼骨折のときに使用される直達牽引法である。

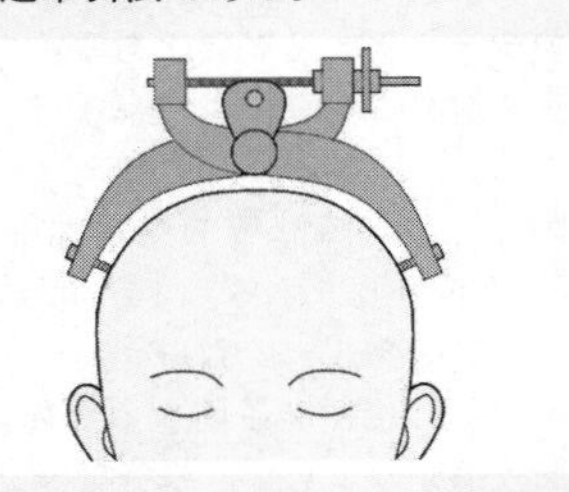

○2：ヒポクラテス法は、肩関節脱臼の整復法である。足を腋窩に置いて、手を引っ張りながら外転位にする。

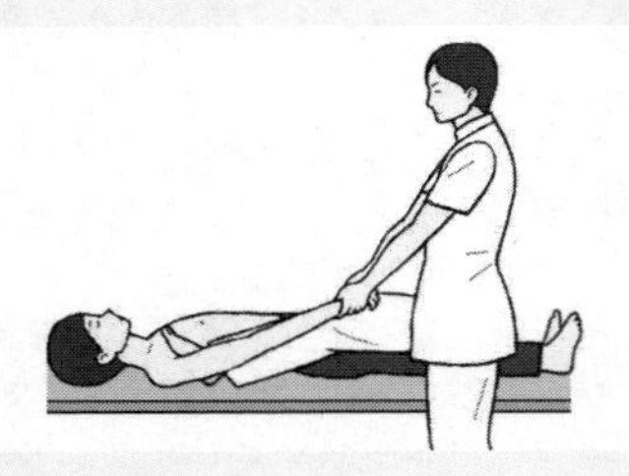

×3：骨肉腫では化学療法が行われる。
×4：椎間板ヘルニアは、椎間板にある髄核が脱出し、神経を圧迫する。骨盤牽引やコルセット、手術などの治療が行われる。
×5：リーメンビューゲル法は、股関節を 90 度に保つために、つり革バンド（あぶみバンド）を装着する治療である。先天性股関節脱臼の装具である。

問55 老年［高齢者の人権に関する制度］
解答 3
×1：成年後見制度は、認知能力が低下した者を社会的に保護していこうという制度で、対象として、認知症、知的障害者、精神障害者がある。
×2：法定後見制度の申し立ては、本人・配偶者・四親等内の親族・市町村長などである。
○3：判断能力がない者に対しては成年後見人を、判断能力が著しく不十分な者に対しては保佐人を、判断能力が不十分な者に対しては補助人を選出する。
×4：任意後見制度は、まだ判断能力があるときに、自分が選んできた人（信頼できる人〈家族、友人、弁護士、司法書士などの専門家〉）、任意後見人と契約を結ぶ。
×5：任意後見制度の開始は、判断力の低下がみられるようになったら、任意後見人が家庭裁判所に申し立てを行い、これにより、家庭裁判所が任意後見監督人を選任し、任意後見人の仕事をチェックする体制ができてから開始される。

問56 老年［加齢に伴う身体機能の変化］
解答 4
×1、2、3、5　○4
1秒率、血管弾力性、腺分泌、骨量はいずれも低下する。渇中枢の閾値が上昇し、体内に水分が不足してもあまり水分を摂取しない。

問57 老年［高齢者の健康］
解答 2
×1：味覚の閾値は上昇する。そのため、味覚の感受性が低下する。
○2：理解力、判断力などの結晶性知能は緩やかに衰えていく。記銘力、想起力などの流動性知能は老年期に急速に衰えていく。
×3：動脈硬化の影響により収縮期血圧が上昇しやすい。
×4：長期記憶より短期記憶が低下しやすい。
×5：高齢者では皮脂の分泌が減少する。そのため皮膚が乾燥しやすい。

問58 老年［食生活］
解答 2
×1：日本人の食事摂取基準（2020 年版）によると、75 歳男性の推定エネルギー必要量は 1800kcal であるので、このままでよい。
○2：炭水化物の割合は 50 ～ 65％未満である。
×3：75 歳以上男性のたんぱく質の推奨量は 60g であるので、むしろ増やす。
×4：目標とされる脂肪エネルギー比は 20 ～ 30％ なので、このままでよい。
×5：カルシウムは 700mg なのでこれでよい。

問59 小児［子どもの権利］
解答 5

×１：児童の権利に関する条約は国際条約で、1989年（平成元年）に国連総会で採択され、日本は1994年（平成６年）に批准した。

×２：児童憲章は、社会協約で法律ではないが、すべての児童が、「人として尊ばれ」「社会の一員として重んぜられ」「よい環境のなかで育てられる」ことを定めている。1951年（昭和26年）に成立した。

×３：児童福祉法は、戦後すぐの1947年（昭和22年）に制定された。

×４：児童虐待防止法は2000年（平成12年）に制定された。

○５：発達障害者支援法は2004年（平成16年）に制定された。

問60　小児［子どもの成長・発達のアセスメント］

解答 4

×１：生後10～11か月頃、親指と示指で積み木を持つ。

×２：生後７～８か月頃、親指と多指で積み木を持つ。

×３：生後12～14か月、親指と示指でつまめる。

○４：生後５～６か月頃、手掌全体で積み木をもつ。

×５：生後９か月頃、示指で転がす。

問61　小児［小児期における成長・発達の特徴と看護］

解答 4

×１：モロー反射は抱きつき反射ともいい、出生後最もよくみられる原始反射で４か月頃消失する。

×２：緊張性頸反射は顔を向けた側の上下肢が伸展し、反対側が屈曲する。４～６か月後消失する。

×３：手掌把握反射は、新生児の手掌を刺激すると握るという反射である。生後４～５か月で消失する。

○４：バビンスキー反射は成人で出現している場合錐体路障害が疑われるが、小児では２歳までみられる。

×５：自動歩行は、脇を抱えて立たせると両足を交互に動かす。出生時にみられて、１～２か月で消失する。

問62　小児［栄養と離乳］

解答 4

×１：舌でつぶせる固さは離乳中期である。開始期はつぶし粥。

×２：１日１回から開始する。

×３：離乳食を先に摂取させた後、授乳を行う。

○４：はちみつの中にボツリヌス菌の芽胞が混入していることがあり、乳児ボツリヌス症防止のために１歳未満では、はちみつは与えない。

×５：果汁は離乳準備食だが、開始前の準備は特に不要との見解が一般的である。

問63　小児［運動と遊び］

解答 2

×１：構成遊びは積み木などで何かを作ったり、絵を描いたりする遊びで、２歳後半から盛んになる。

○２：協同組織遊びは、仲間と一緒に遊ぶが役割分担やルールがあり、３歳以降でないと出てこない。

×３：並行遊びは、同じ空間を共有しているが、一人で遊ぶ。他者に関心がない。２歳頃に多い。

×４：感覚運動遊びは、それが何であるか感覚で確かめようとしている遊びで、乳児期に多い。

×５：連合遊びも仲間どうしで遊ぶが、まだ役割分担やルールがない。

問64　小児［プレパレーション］

解答 4

×１：保護者と本人が対象である。

×２：４歳児では記憶力に限界があるため、検査２日前くらいに行うのが効果的である。

×３：安全対策は怠りなく行う。

○４：潜在的対処能力を引き出すねらいがある。

×５：検査中は泣いてよい。

問65　小児［与薬］

解答 5

×１：乳児の薬用量の計算では、体表面積や体重から求められることが多い。

×２：乳児に用いる薬剤は水薬か、散剤を溶かした液体である。

×３：オブラートの使用は難しい。

×４：ミルク嫌いの原因になるため、ミルクには決して混ぜない。

○５：おなかが満たされると飲むのを拒否することがあるので、薬剤は授乳と授乳の間や授乳前に飲ませる。

問66　小児［急性的な経過をたどる疾患の特徴と治療］

解答 1

×１：自己免疫疾患である。自身の血小板に抗体が作られて血小板が破壊され、出血しやすくなる疾患である。

○２：小児にも成人にも起こるが、小児は、ウイルス感染や予防接種後などに発症し、６か月以内に血小板数が正常に回復する急性型が多い。

○3：皮膚に出血斑が認められる。また歯茎出血や口腔粘膜出血もある。重症では脳内出血が起こることがある。

○4：治療は、副腎皮質ステロイドが使われる。他に免疫抑制薬、γグロブリンも有効とされる。

○5：指定難病である。

問67 小児［けいれん］

解答 5

×1：発熱とともにけいれんが出現する。

×2：発作は全身性左右対称である。

×3：脳波に異常は認められない。

×4：一般に学童期頃になると減少、消失していく傾向にある。

○5：家族集積性が指摘されている。

問68 小児［周手術期における子どもと家族への看護］

解答 5

×1：肥厚性幽門狭窄症では幽門筋切開であるラムステッド法を行う。

×2：二分脊椎症は水頭症を合併していることが多く、脳室−腹腔（V-P）シャント術が行われる。ハッチンソン（Hutchinson）手技は腸重積に行われる開腹術。

×3：ファロー四徴症では、姑息的手術として、肺動脈と鎖骨下動脈を吻合するブラロック・タウシッヒ術が行われる。

×4：先天性胆道閉鎖症では、肝門部空腸吻合術が行われる。人工肛門造設術は、鎖肛やヒルシュスプルング病で検討される。

○5：心室中隔欠損症では、欠損部の閉鎖術としてパッチ閉鎖術が行われる。

問69 小児［慢性疾患をもつ子どもと家族への看護］

解答 4

×1：インスリン注射は自分で行う。

×2：給食は全量摂取してよい。成長期であり、適度な栄養の確保が必要である。

×3：好きなスポーツを制限すべきでない。エネルギー消費と併せてインスリン量もコントロールされる。

○4：糖質は常に携帯しておく。

×5：血糖値測定はインスリン注射前に行う。

問70 小児［先天異常の種類と特徴］

解答 2

×1：フェニルケトン尿症は常染色体劣性遺伝疾患で、発達遅滞、けいれんなどがみられる。黄疸はガラクトース血症で認められる。

○2：21トリソミー（ダウン症候群）は常染色体異常によって発生し、筋緊張低下、巨舌、舌の突出、特有の顔貌などが認められる。

×3：クラインフェルター症候群は性染色体異常によって発生し、XXYなど、Xが多い性染色体異常で、高身長、無精子症などが生じる。巨舌はダウン症候群である。

×4：ターナー症候群は性染色体異常によって発生し、低身長、無月経などがみられる。

×5：13トリソミー（パトー症候群）は常染色体異常によって発生し、口唇口蓋裂、手指屈曲奇形、重度知的障害などがみられる。白内障を合併するのは先天性風疹症候群である。

問71 母性［リプロダクティブ・ヘルス／ライツ］

解答 4

○1、2、3、5　×4

対象は、女性、子どものほかに、胎児、男性も含む。リプロダクティブ・ヘルス／ライツの概念は、1994年、カイロで開かれた国際人口開発会議において採択された。WHOが提唱するリプロダクティブ・ヘルスの基本的要素は以下である。

①女性自らが妊孕性（にんようせい）を調節できること
②すべての女性が安全な妊娠と出産を享受できること
③すべての新生児が健全な小児期を享受できること
④性感染症のおそれなしに性的関係が持てること

問72 母性［生殖に関する生理］

解答 1

○1：排卵は黄体化ホルモン（黄体形成ホルモン）（LH）により促される。

×2：精子の染色体は22＋Xあるいは22＋Yである。

×3：精子が受精能を有するのは射精後72時間程度である。卵子の受精能は排卵後24時間程度である。

×4：受精とは卵子と精子との核癒合をいう。受精卵が子宮内膜に着床し子宮内に妊卵を有した状態は妊娠という。

×5：性別は精子により決定される。22＋Xをもつ精子が受精すると女児、22＋Yをもつ精子が受精すると男児となる。

問73 母性［生殖に関する生理］

解答 1

○1：排卵する細胞は二次卵母細胞である。減数分裂によって、一次卵母細胞から二次卵母細胞が発生する。受精すると再び細胞分裂が開始し、卵子が形成される。

×2：排卵期の頸管粘液は、量が増加し粘稠性が低下、牽糸性（けんしせい）が亢進し、シダ状結晶化が起こる。

×3：精子の運動は、前進運動、旋回運動、振子運動があるが、卵管膨大部まで到達できるのは前進運動する精子だけである。

×4：受精する場所は卵管膨大部である。

×5：着床時期は、受精後6～7日頃である。

問74　母性［思春期・成熟期女性の健康課題］

解答 3

×1、2：女性の第二次性徴の順番は、乳房の発達→初経→骨端線閉鎖である。

○3：思春期では卵巣機能がまだ成熟していないので、排卵を伴わない月経が出現することが多い。排卵がないと黄体が形成されず高温相とならない。よって、基礎体温は一相性であっても異常ではない。

×4：月経時に剥離する箇所は機能層である。基底層は子宮筋側にあり、剥離はしない。

×5：月経周期が一定になるまでの期間には個人差があるが、初経発来から2～3年くらいかかることもある。

問75　母性［更年期・老年期女性の健康課題］

解答 3

×1：閉経期に近づくと、エストロゲンが低下しゴナドトロピンが増加しはじめるため月経周期が短くなり、次第に反応が起こらなくなりついに閉経となる。

×2：更年期障害によりホットフラッシュ、眩暈、頭痛などの身体的症状が出現しやすい。

○3：性腺刺激ホルモン（ゴナドトロピン）は増加する。

×4：子宮頸がんはヒトパピローマウイルス感染によるものとされる。年齢的に若い人に多い。閉経時期に増加するのは子宮体がんである。

×5：子宮筋腫は閉経期には縮小する。

問76　母性［正常な妊娠の経過］

解答 1

○1：代謝機能が高まり、循環血液量、特に血漿量が増加する。

×2：子宮の増大に伴い、横隔膜が挙上し、肺容量が小さくなるため呼吸数が増加し、動脈血二酸化炭素分圧が低下する。過換気傾向となる。

×3：循環血液量が増加するため、腎血流量が増加し糸球体濾過値は増加する。

×4：ホルモンの影響で、インスリン作用が低下し、血糖値が上昇しやすい。耐糖能は低下する。

×5：子宮の増大に伴い、重心は前方に移動し、これが腰痛の原因ともなる。

問77　母性［常位胎盤早期剝離］

解答 3

正常な位置に付着している胎盤が胎児娩出前に剝離するものを常位胎盤早期剝離という。

×1：外出血もあるが、内出血が多い。

×2：母子ともに危険な状態になる。

○3：設問の通り。

×4：子宮底が上昇し、硬い。

×5：内診して胎盤が触れるのは前置胎盤である。ただし、前置胎盤の疑いがあるときは内診は禁忌である。

問78　母性［分娩期の看護］

解答 4

×1：陣痛周期が10分以内または1時間に6回以上をもって分娩の開始とする。

×2：分娩第1期（開口期）は、分娩開始から子宮口全開大までをいう。

×3：胎胞とは卵膜が嚢状となったもので、子宮口を広げる役割がある。胎胞が破綻し卵膜が破れて羊水が流れ出ることを破水といい、子宮口全開大時に起こる破水を適時破水という。早期破水とは、子宮口全開大前に破水することをいう。

○4：分娩第2期（娩出期）は子宮口全開大から胎児娩出までをいい、その間に排臨、発露が起こる。

×5：分娩第3期（後産期）は、胎児娩出から胎盤娩出までをいう。すでに胎児は娩出している。

問79　母性［分娩期の看護］

解答 2

×1：41週6日で分娩しているので正期産（37週0日から41週6日）である。

○2：規則的陣痛開始が午前5時、その後、正午に女児分娩、その10分後に胎盤娩出しているので、7時間10分である。

×3：子宮底が右に傾く徴候はシュレーデル（シュレーダー）徴候で正常である。

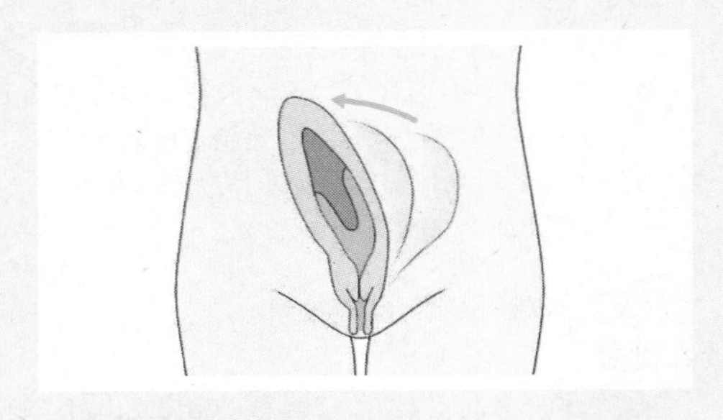

×4：胎児面からの胎盤娩出なのでシュルツェ様式である。

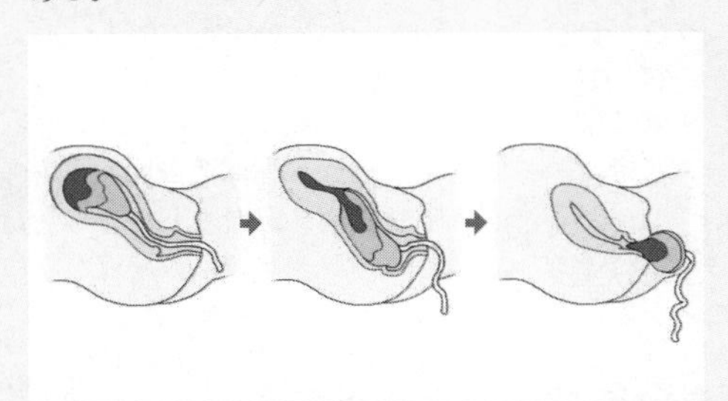

×5：分娩第3期までが400mL、分娩第4期が50mLなので、総量450mL。500mL未満は正常範囲である。

問80 **母性**［産褥期の看護］

解答 2

ルービンは、母親への適応過程について①受容期（産褥1～2日頃）、②保持期（産褥2、3～10日間）、③解放期（保持期以降）の3段階があるとしている。

×1：産褥3日目は保持期であり、自立を促す時期である。やり方を保証し、自立ができるケアを行う。

○2：哺乳量は産褥3日で1回量30mLであり、乳房緊満感も強く、順調な経過である。

×3：授乳時間を長くすると乳頭亀裂を生じる可能性があり好ましくない。初産婦であり、初めての授乳なので、抱き方がわからない可能性がある。抱き方などを指導する。

×4：浅く吸わせると乳頭亀裂が起こる。深く吸わせるように指導する。

×5：産褥体操は産褥1日目から行ってよいが、骨盤をねじる運動は産褥5日目以降がよい。

問81 **母性**［早期新生児期の看護］

解答 5

×1：体重減少率は、8.6％と10％以内なので、正常範囲内である。

×2：乳房の腫脹や乳汁分泌は、胎児期に母体から移行したエストロゲン、プロゲステロンが分娩後に急激に減少することによって起こる現象で、成熟児でみられることがある。

×3：レンガ色の尿は、尿酸の結晶化が起きた時に生じる。異常ではない。

×4：生後5日頃から皮膚に付着していた胎脂が乾燥により剝がれ落ちる現象を落屑という。この後、新しい皮膚が形成されていく。脱水ではない。

○5：総ビリルビン値が12mg/dLと高い。生後5日目が生理的黄疸のピークであり、総ビリルビン値が15mg/dL未満ならば異常ではない。

問82 **精神**［防衛機制］

解答 3

×1：転移とは、患者が過去に自分に影響を与えたものを思い描き、その感情を医療者に向けることをいう。陽性転移と陰性転移があり、陽性転移は信頼関係ができるが、陰性転移では不信を抱く。

×2：取り入れ（取り込み）とは、自分があこがれる人物の特徴を自身に取り入れることをいう。

○3：転移の逆で、医療者が患者に向ける感情のことを逆転移という。

×4：投影とは、認めたくない自身のいやなところを、あたかも他者が持っているかのように思い込むことをいう。

×5：反動形成とは、自分の感情と正反対の行動をとることをいう。

問83 **精神**［危機（クライシス）］

解答 3

×1：スチューデントアパシーとは学生無気力症ともいい、好きなことしか関心がない状態をいう。

×2：ピーターパン症候群は、大人になりたくない、責任をとりたくないという感情をもつことをいう。

○3：青い鳥症候群は、理想を掲げて、職場を転々とする状態で、青年期の危機の特徴である。

×4：モラトリアムは青年期の特徴で、まだ社会的責任を負わなくてよい、免責されている時期をいう。

×5：サンドイッチ症候群は、壮年期に起こる危機で、中間管理が多く、上（上司）と下（部下）の間で板挟みとなり、思い悩み、次第に出社拒否、うつ病へと進行していく。

問84 **精神**［主な精神疾患・障害の特徴と看護］

解答 3

×1：発揚とは、希望に満ち溢れ、気分が高揚する感情の障害で、躁病でみられる。
×2：昏迷とは、意識に障害はないが外界の刺激に反応せず意思の発動がみられなくなった状態で、統合失調症やうつ病でみられる。行動・意欲の障害である。
○3：連合弛緩とは、言葉がまとまった連なりとならず、話す内容が意味不明となる。統合失調性の特徴的な症状である。
×4：幻聴は実際にはない物音や人の声などが聞こえるもので、知覚の障害である。
×5：感情失禁とは、些細なことでも感情のコントロールがきかなくなり、激しく泣いたり怒ったりしやすくなる状態で、脳血管性認知症などでみられる。

問85 **精神**［主な精神疾患・障害の特徴と看護］
解答 1
○1：フラッシュバックが起こる。再体験である。
×2：出来事を体験した場所を避ける。回避である。
×3：眠りが浅く、熟眠感が得られない。夜間突然覚醒することがある。
×4：これまで通りの行動ができなくなる。
×5：些細な音にも驚く。過覚醒である。

問86 **精神**［統合失調症の症状］
解答 2
×1：自分という実感がないのは自己同一性、単一性が希薄になっている状態で、自我意識の障害に属する。
○2：相反する感情を同時に抱くのは両価性といい、感情の障害である。
×3：自発性の極端な低下は昏迷で、ずっと立ちすくんでいる、同じ姿勢で臥床している状態などである。行動・意欲の障害に属する。知能の障害は、精神発達遅滞と認知症がある。
×4：知覚刺激で非現実的意味付けをするのは、妄想知覚で、思考の障害に属する。
×5：頭の中で考えが出てこないのは思考制止で、思考の障害に属する。

問87 **精神**［気分〈感情〉障害の症状］
解答 1
×1：躁状態は、日中も夜間も眠らなくても苦痛を感じない。昼夜逆転しているわけではない。
○2：自身を過大評価し、誇大妄想が見られる。
○3：観念奔逸とは、考えがどんどん湧き出し多弁で、話題が一定せず飛んでいく状態。
○4：他人への過干渉が多い。
○5：代謝が亢進し、体力が消耗する。食欲もあり、下痢傾向となる。

問88 **精神**［心理・社会的療法］
解答 2
×1：精神分析療法は、フロイトにより創始された。無意識の世界に抑圧された葛藤を意識野に解放させる方法で、自由連想法（患者に語ってもらい、その内容を分析する）などがある。カタルシス（心の浄化）を目標とする。
○2：行動療法とは、人の行動は学習によって習得したものという考え（学習理論）から、標準から逸脱した行動や不適応行動を、行動技法の訓練により社会的に受け入れやすい形に変えていく手法。
×3：森田療法とは、不安は打ち消そうとするとますます不安が強くなることから、不安をありのまま受け入れ、不安の悪循環を断つという方法。第１期（絶対臥褥期）、第２期（軽作業期）、第３期（重作業期）、第４期（日常生活訓練期）の治療期間がある。約40日の入院治療を基本としている。
×4：芸術療法とは、芸術創作活動を通して、不安から解放させ、自らの欲求や充足を発散させる方法。活動療法の一つでもある。言語表現の苦手な人や小児に有効。
×5：集団精神療法は、患者７～８名に、治療スタッフ２名の合計10名程度で行われる。メンバー同士がそれぞれの悩みや意見を出し合うことで、互いに悩みを共有し、励まし合い、意見を交わすことで他人との接し方を学んでいく。集団のもつ治癒力に期待する。アルコール依存症などに用いられる。

問89 **精神**［自立支援医療］
解答 4
×1：対象は、すべての精神疾患（統合失調症・うつ病、躁うつ病などの気分障害・不安障害・薬物などの精神作用物質による急性中毒またはその依存症・知的障害・強迫性人格障害など「精神病質」・てんかんなど）である。
×2：有効期限は１年間である。１年ごとに更新が必要である。
×3：公費負担の適否は、都道府県知事が承認の決定をする。
○4：障害者総合支援法の自立支援医療の一つである。

×５：自己負担は、原則１割である。上限額が設けられており、世帯所得によっても異なる。

問90 **精神**［入院患者の基本的な処遇］
解答 1
○１：信書の発受や行政機関からの職員の面会は原則制限されない。
×２：異物の混入が疑わしい時は患者に開封してもらい、異物を取り除いて患者に渡す。
×３：閉鎖病棟においては、患者がいつでも電話をかけられるように公衆電話を設置しなければならない。
×４：患者との面会は、原則立ち合い人はなく、自由に面会ができる。
×５：患者および家族から処遇改善請求があった場合は、精神医療審査会でその処遇の是非が審議される。

問91 **在宅**［在宅療養者の家族への看護］
解答 2
×１、３、４、５　○２
家族で介護を協力し合って行っており、この状態を維持していくためには、家族の休息の時間を確保するのが最も適切である。

問92 **在宅**［訪問看護サービスの仕組みと提供］
解答 4
×１：看護職員数の最低要件は、常勤換算で2.5人以上である。
×２：管理者になれるのは保健師、看護師で、医師はなれない（健康保険法に基づく訪問看護のみを行う場合は助産師も管理者になれる）。
×３：営利法人も設立できる。近年、増加してきている。
○４：介護保険利用においては要介護認定が必要である。
×５：医療保険利用においては年齢は問わない。

問93 **在宅**［訪問看護サービスの展開］
解答 3
×１：訪問看護指示書がなければ、在宅での医療行為はできないので、指示書は必須である。
×２：初回訪問では指導は控えるが、訪問計画を作成する上でも情報収集は必要である。
○３：不測の事態を常に想定して、緊急連絡先は確認しておく。
×４：主治医の指示、患者および家族のニーズを総合的に判断して計画を作る。
×５：「指定居宅サービス等の事業の人員、設備及び運営に関する基準」において、定期的に訪問看護計画書および訪問看護報告書を主治医に提出しなければならない。

問94 **在宅**［社会資源の活用・調整］
解答 4
×１、２、３、５　○４
要支援１、２および要介護１の人は、原則として歩行器、歩行補助杖、手すり（工事を伴わないもの）、スロープ（工事を伴わないもの）のみ貸与できる（必要性が認められた場合はその限りでない）。

問95 **統合**［医療・看護の質保証］
解答 2
×１、３、４、５　○２
看護マネジメントの中で、「ストラクチャー（構造）」は看護組織の情報、人員配置や労働時間などの労働状況や看護職背景、患者背景など。「プロセス」は看護実践の内容で、どのような看護を提供したかなど。「アウトカム」とは看護実践の結果で、患者の満足度等を評価する。バリアンスとは、予定とは異なる状態が発生し、アウトカム（目標）通りにはいかない状態をいう。リフレクションとは実践の振り返りをいう。

問96 **統合**［医療安全のマネジメント］
解答 4
×１：医療事故には不可抗力と医療過誤がある。医療過誤は人的エラーで、注意義務違反である。
×２：医療従事者は加害者となる。
×３：医療過誤は事故である。インシデントは事故が起こるまでの事象である。
○４、×５：刑事上は懲役など、民事上は損害賠償、行政上は免許の取り消しなどである。免許の取り消しなどを行政処分といい、保健師助産師看護師法に規定されている。

問97 **統合**［災害各期の看護］
解答 4
×１：トリアージ担当者は、トリアージに専念する。
×２：衣服は脱がせる可能性があるのでつけない。手首が無理ならば足首につける。
×３：急変することもまれではないので、複数回行ってよい。
○４：トリアージに時間をかけない。

×5：トリアージは絶対的なものではない。様々な状況下で変動する。例えば、小規模災害では複雑骨折は緊急群に属するが、大規模災害では準緊急群となる場合もある。

問98　統合［災害と看護］

解答 4

×1：下肢レントゲンで骨折は認められないので直達牽引は不要である。下肢全体の強い腫脹は、長時間の圧迫に伴う筋肉組織圧の上昇が原因と考えられる。組織圧測定後、筋膜切開による減圧が考慮される。※筋肉組織圧の正常値は0～8 mmHg。30mgを超えると筋肉組織の循環障害が起こるとされる。

×2：クラッシュ症候群（挫滅症候群）では、筋肉の挫滅によるCKの上昇（正常値30～160IU/L）、高K血症（正常値4mEq/L）、高ミオグロビン血症（正常値70mg/mL以下）が特に留意しなければならない所見である。ミオグロビンは、筋肉に存在する色素タンパクで、筋肉の挫滅により大量に遊離し、腎臓の尿細管を詰まらせることで急性腎不全を引き起こす。現時点で腎機能も低下しており、腹膜透析ではなく緊急血液透析が必要である。

×3：IABPは心筋梗塞や心原性ショック、低心拍出量症候群などに対する補助循環である。心電図には異常が認められないことから、この治療を必要とする根拠は乏しい。

○4：血中カリウム（K）値のさらなる上昇は、心室細動や心停止を引き起こしかねない。カリウム値を下げるために、グルコース－インスリン療法や大量輸液を行い、利尿を促してカリウムを低下させ、ミオグロビンを薄める必要がある。ただし、急激な輸液は心不全を招くので、注意しながら輸液を行う。

×5：意識レベルはⅠ-2で自発呼吸もあることから、現時点では気管内挿管は不要である。

問99　統合［災害各期の看護］

解答 4

×1、2、3、5　○4

火災に遭遇した時点で、気道熱傷を疑う。外傷がなくても喉頭部が急激にむくみ、呼吸困難を引き起こす可能性がある。まずは現時点で気道の状況を診る必要がある。

問100　統合［国際機関の役割］

解答 2

×1：ユネスコは、諸国民の教育、科学、文化の協力と交流を通じて、国際平和と人類の福祉の促進を目的とした国際連合の専門機関である。

○2：ユニセフは、世界中の子どもたちの命と健康を守るために活動する国連機関で、すべての子どもの権利が守られる世界を実現するために、保健、栄養、水・衛生、教育、HIV/エイズ、保護、緊急支援、アドボカシー（政策提言）などの活動を実施している。

×3：WHOは、健康や医療に関する科学的、技術的情報を世界に伝え、健康増進に寄与することをめざす国連機関である。

×4：国連人権高等弁務官事務所は、国連の人権活動に主要な責任を持ち、すべての人の市民的、文化的、経済的、政治的、社会的権利を促進かつ擁護する国際機関である。

×5：国際労働機関は、世界の労働者の労働条件と生活水準の改善を目的とする国連最初の専門機関である。

5肢択二問題

問1 人体［細胞と組織］

解答 1、5

○1：DNAは2本のポリヌクレオチド鎖、RNAは1本のポリヌクレオチド鎖からなる。ヌクレオチドは、リン酸、糖、塩基からなる。

×2：転写とは、核内でDNAを鋳型にmRNAが合成されることをいう。

×3：アミノ酸と結合し、アミノ酸をリボソームに運ぶのはtRNAである。

×4：塩基3個がアミノ酸1個に対応する。塩基が9個なのでアミノ酸は3個である。

○5：翻訳とは、塩基配列からタンパク質が合成される過程をいう。リボソームで行われる。

問2 人体［中枢神経系の構造と機能］

解答 2、4

×1：髄膜は外側から硬膜、クモ膜、軟膜の順で、クモ膜の下にクモ膜下腔があり、脳脊髄液が流れている。

○2：脳脊髄液は側脳室、第3脳室、第4脳室の脈絡叢で分泌され、脳室を流れていく。

×3：脳脊髄液は側脳室、第3脳室、中脳水道、第4脳室と流れていき、正中孔からクモ膜下腔に流れ、その後、上矢状静脈洞に吸収され、最終的に静脈に合流する。

○4：ウィリス動脈輪（大脳動脈輪）を構成する血管は、内頸動脈、前大脳動脈、前交通動脈、後交通動脈、後大脳動脈である。中大脳動脈と脳底動脈は含まれない。

×5：脳底動脈は左右の椎骨動脈が脳底部で1本になった血管である。

問3 人体［骨格の構造と機能］

解答 1、4

○1：骨細胞は、骨芽細胞と破骨細胞があり、骨芽細胞が骨形成、破骨細胞が骨吸収を行う。

×2：パラソルモンは、副甲状腺から分泌されるホルモンで、骨にあるカルシウムを血中へ移動させる働きがある。これにより血中カルシウム濃度は上昇するが、骨吸収が促進される。

×3：長管骨の長軸方向の成長は、骨端軟骨が担う。骨膜は骨の太さの成長を担う。

○4：エストロゲンは、思春期において、骨の成熟を促すと同時に骨端線の閉鎖を促進させる。エストロゲンの分泌が早く起こると一般に身長は低くなる。

×5：骨はカルシウム代謝を行う。

問4 人体［骨格筋の構造と機能］

解答 1、3

○1：三角筋は上腕の外転を行い、大胸筋は上腕の内転を行う。

×2：上腕三頭筋は肘関節の伸展を行い、上腕二頭筋が肘関節の屈曲を行う。

○3：大殿筋は股関節の伸展を行い、腸腰筋は股関節の屈曲を行う。

×4：中殿筋は大腿の外転を行い、内転筋群は大腿の内転を行う。

×5：前脛骨筋は足関節の背屈を行い、下腿三頭筋（ヒラメ筋、腓腹筋）が足関節の底屈を行う。

問5 人体［視覚］

解答 3、4

×1：輻輳とは、寄り目のことで、近くのものを見ようとしたときに起こる反応で、これは外眼筋である内側直筋がはたらくためである。

×2：瞳孔は散大する。

○3：水晶体は薄くなる。

○4：瞳孔が大きくなると眼圧は上昇する。

×5：チン小帯は収縮する。

問6 人体［心臓］

解答 1、3

○1：動脈、静脈は血管名であり、流れる血液性状とは区別する。心臓へ入ってくるのが静脈で、心臓から出ていくのが動脈である。肺循環では、右心室から出る肺動脈には静脈血が、左心房へ入ってくる肺静脈には動脈血が流れる。

×2：上行大動脈からは右1本、左1本の冠状動脈が出る。

○3：縦隔は左右の肺にはさまれた領域で、上下に分類される。下縦隔は、さらに前縦隔、中縦隔、後縦隔に分類され、心臓はこのうち中縦隔にある。

×4：洞房結節（洞結節）は最初の歩調とり（第一のペースメーカー）で、右心房にある。

×5：第Ⅰ心音は房室弁の閉鎖音で、第Ⅱ心音が動脈弁の閉鎖音である。

問7 **人体**［アレルギー反応］

解答 3、5

×1：Ⅰ型アレルギー反応では IgE が関与する。

×2：補体が結合するのはⅡ型アレルギーとⅢ型アレルギーである。

○3、5：Ⅰ型アレルギーでは、IgE が肥満細胞に結合し、肥満細胞からヒスタミンが分泌されて炎症を引き起こす。炎症所見として、血管壁の透過性の亢進や末梢血管の拡張などが起こる。

×4：Ⅰ型アレルギー反応にはアナフィラキシーショック、気管支喘息、花粉症などがある。接触性皮膚炎はⅣ型アレルギー反応である。

問8 **人体**［呼吸］

解答 2、3

×1：気道内圧は吸息時に陰圧となり、呼息時に陽圧となる。

○2：胸腔内圧は吸息時も呼息時も陰圧である。

○3、×4：呼吸筋は主に吸息時に用いられる。

×5：呼吸の化学受容器には、延髄に存在する中枢性化学受容器と、頸動脈小体と大動脈小体といわれる末梢化学受容器がある。中枢性化学受容器は $PaCO_2$ の上昇に、末梢性化学受容器は PaO_2 の低下に敏感に反応する。

問9 **人体**［呼吸］

解答 1、4

○1：ヘモグロビンの一酸化炭素との親和力は酸素の230倍であり、一酸化炭素と結合しやすい。

×2：酸素濃度は組織より肺胞のほうが高い。よって、肺胞から毛細血管へ酸素が取り込まれ、毛細血管から組織へ酸素が取り込まれる。拡散現象により酸素が取り込まれる。

×3：PaO_2 90mmHg のとき SpO_2 は約97％である。PaO_2 60mmHg のとき SpO_2 は約90％である。

○4：酸素は赤血球が運搬し、ほとんどの二酸化炭素は重炭酸イオンとなって運搬される。

×5：酸化ヘモグロビンとは酸素と結合しているヘモグロビンのことで、静脈血では酸素を離した還元ヘモグロビンが多い。

問10 **人体**［物質代謝］

解答 2、5

×1：酸素のない状況下では、ブドウ糖は嫌気性解糖を行い乳酸ができる。酸素のある状況下では好気性解糖が行われ、二酸化炭素と水が生成され、ATP が合成される。

○2：アミノ酸は分解されるとアンモニアなどの窒素化合物が生成される。

×3：人体に有害なアンモニアは、肝臓にある尿素回路（オルニチン回路）で処理され、尿素につくりかえられる。

×4：インスリンは、ブドウ糖をグリコーゲンにし、肝臓や筋肉に貯蔵する。また、過剰になったブドウ糖を脂肪に貯蔵することで、血中ブドウ糖を低下させる。

○5：リポタンパク質とは、脂質がタンパク質と結合したものであり、比重により主に次の4つに分類される。

①カイロミクロン：主に中性脂肪（トリグリセリド；TG）で構成される（約90％）。食物から取り入れた中性脂肪を肝臓へ運ぶ。

② VLDL：中性脂肪やコレステロールを脂肪組織へ運ぶ。

③ LDL：約40％がコレステロールで構成される。肝臓で合成されたコレステロールを組織へ運ぶ。

④ HDL：アルブミンが多い。過剰なコレステロールを回収し肝臓へ運ぶ。

問11 **人体**［泌尿器系］

解答 2、5

×1：腎小体とは、糸球体とボウマン嚢を合わせたものをいい、腎小体と尿細管を合わせたものを腎単位（ネフロン）という。

○2：尿細管は腎小体から続く器官であり、近位尿細管、ヘンレループ、遠位尿細管と続き、さらに合流して集合管となる。集合管では、ホルモンが作用することで水分や電解質の再吸収が行われる。

×3：傍糸球体装置とは、輸入細動脈、輸出細動脈と遠位尿細管が接する箇所のことをいい、腎血流が減少すると、ここからレニンという物質が分泌される。アルドステロンは副腎皮質の球状帯から分泌されるホルモンで、集合管に作用する。

×4：エリスロポエチンは、低酸素血症時に尿細管間質細胞から分泌され、骨髄にはたらき、赤血球の産生を促進する。

○5：集合管に抗利尿ホルモンであるバソプレシンが作用し、水分の再吸収を行う。

問12 **人体**［体温の調節］

解答 3、5

×1：体温調節中枢は間脳の視床下部にある。

×2：温中枢は視床下部にあり、刺激を受けると熱の放散を促進する。

○3：寒冷刺激では、熱産生を促進するために、甲状腺ホルモンの分泌が促進される。
×4：発汗を促進する神経は交感神経である。
○5：発汗には温熱性、精神性、味覚性があり、温熱性発汗は熱放散を促進する発汗で体温調節に関与する。

問13　人体［内分泌系］

解答 2、5

×1：血液浸透圧が上昇するとバソプレシンの分泌が促進され、腎臓での水分の再吸収を促進させる。
○2：アルドステロンは腎臓でカリウムイオンの排泄を促進する働きをもつため、低カリウム血症を起こすとアルドステロンの分泌が抑制される。
×3：血糖値が上昇するとインスリンの分泌が促進される。
×4：低カルシウム血症を起こすと、副甲状腺（上皮小体）からパラソルモンの分泌が促進される。低カルシウム血症によって分泌が抑制されるのはカルシトニンである。
○5：サイロキシンが増加すると、負のフィードバックが起こり、甲状腺刺激ホルモンの分泌が抑制される。

問14　人体［女性の生殖器系の構造と機能］

解答 3、5

×1、2、4　○3、5

高温相のとき、①性腺刺激ホルモン（ゴナドトロピン）の分泌は低下する、②黄体が形成されており、黄体ホルモン（プロゲステロン）、卵胞ホルモン（エストロゲン）が分泌されている、③子宮内膜は分泌期となる、④成熟卵胞はなく、黄体が存在する、⑤期間に個人差はほとんどなく、14 ± 2日である。

問15　人体［生殖器系］

解答 1、4

○1、4：設問どおり。
×2：陰茎は陰核に相当する。
×3：精嚢に相当する器官は女性にはない。
×5：陰嚢は大陰唇に相当する。子宮に相当する器官は男性にはない。

問16　疾病［細胞の障害、生体の障害］

解答 2、5

×1：アポトーシスとは、プログラム化された細胞の死のことをいい、胎児の器官形成のときなどでみられる。アルツハイマー病はβアミロイドという特殊タンパクが増殖することが原因とされる。
○2：萎縮とは、組織や臓器において細胞数や細胞容積の減少をきたすことをいい、栄養不良、加齢、神経原性、そして廃用症候群などでみられる。
×3：虚血とは、組織や臓器へ流入する動脈血流量が減少することをいい、虚血によって引き起こされる疾患として狭心症や心筋梗塞などの虚血性心疾患がある。
×4：うっ血とは、静脈還流が停滞した状態をいい、肺うっ血や右心不全がある。
○5：ネフローゼ症候群とは、高度タンパク尿により低タンパク血症となり、その結果として浮腫をきたす疾患群の総称である。

問17　疾病［内分泌・代謝異常］

解答 2、3

×1：閉塞性黄疸は胆道の閉塞により生じ、直接ビリルビンが上昇する。
○2：胆汁が腸へ流れなくなるため便は灰白色となる。
○3：強い掻痒感がみられる。
×4：胆汁が血液に逆流し腎臓から排泄されるようになるため紅茶色の尿となる。
×5：通常、直接ビリルビンは腸内で分解されウロビリノゲンになり、一部は肝臓に戻り（腸肝循環）、大部分は便として排泄されるが、閉塞性黄疸では直接ビリルビンが腸内を流れないためウロビリノゲンが生成できず尿ウロビリノゲンは減少する。

問18　疾病［遺伝子異常、先天異常］

解答 1、4

○1：ダウン症候群は常染色体異常である。その多くが21番目の常染色体が1本多い21トリソミーであり、染色体数は47本となる。
×2：フェニルケトン尿症は常染色体劣性遺伝で、染色体数に変化はない。
×3：ターナー症候群はX染色体が1本欠損している性染色体異常で、染色体数は45本となる。
○4：クラインフェルター症候群はX染色体が多くなる性染色体異常で、XXYやXXXYなどがある。
×5：軟骨形成不全症は常染色体優性遺伝で、染色体数に変化はない。

問19　疾病［腫瘍］

解答 3、4

×1、2、5　○3、4

腫瘍の分類の一つとして、上皮性と非上皮性がある。上皮性は上皮組織から発生する腫瘍であり、非上皮性はそれ以外から発生する腫瘍である。

	良　性	悪　性
上皮性	腺腫、乳頭腫など	腺がん、扁平上皮がん、肝細胞がんなど
非上皮性	平滑筋腫、線維腫、血管腫、脂肪腫など	肉腫、白血病

問20　**疾病**［ウイルス］

解答 1、2

○ **1**：子宮頸がんはヒトパピローマウイルス（HPV）が原因で発症するものが多い。

○ **2**：成人T細胞白血病はヒトT細胞白血病ウイルス1型（HTLV-1）が原因で発症する。

× **3**：急性糸球体腎炎はⅢ型アレルギーであり、A群β溶血性レンサ球菌の感染により免疫複合体（抗原と抗体が結合した状態）をつくり、これが血流に乗って腎臓の糸球体に運ばれ炎症を引き起こす。

× **4**：卵巣がんは、ウイルスが原因ではない。

× **5**：溶血性尿毒症症候群は腸管出血性大腸菌（O-157など）が産生するベロトキシンにより腎障害を引き起こす。

問21　**疾病**［慢性閉塞性肺疾患〈COPD〉］

解答 3、5

× **1**：肺胞が伸展し、肺が過膨張状態となる。

× **2**：横隔膜の位置が低下し、平坦となる。

○ **3**：正常な肺では胸郭の前後径と左右径の比がおよそ1：2であるが、慢性閉塞性肺疾患（COPD）では前後径がせり上がり、ビア樽状胸郭となるため、前後径と左右径の比がおよそ1：1となる。

× **4**：呼息しづらいため、ピークフローは低下する。

○ **5**：1秒率は、息を深く吸って勢いよく吐き出したときに呼出される空気量のうち、最初の1秒間に吐き出された量（1秒量）の割合であり、70％以上が正常であるが、慢性閉塞性肺疾患では70％未満となる。

問22　**疾病**［心タンポナーデ］

解答 2、3

×1、4、5　○2、3

心タンポナーデとは、心膜腔に血液や滲出液などが貯留し、心室拡張障害が起こる病態である。症状として、頸静脈怒張（中心静脈圧（CVP）上昇）、血圧の低下、心音の減弱（これら3つをベックの三徴という）のほか、脈圧（収縮期血圧と拡張期血圧の差）の低下、微弱頻脈が起こる。選択肢のデータから、CVP上昇と脈圧低下が選択できる。それ以外は正常である。

問23　**疾病**［腫瘍（大腸ポリープ、結腸癌、直腸癌）］

解答 1、2

○ **1**：平成30年における悪性新生物による死亡数の第1位は、男性は肺がん、女性は大腸がんである。

○ **2**：家族性大腸ポリポーシス（家族性大腸腺腫症）は常染色体優性遺伝で、大腸腺腫からがんに移行しやすい。

× **3**：食物繊維の少ない食事（低残渣食）による生活が発症の要因として指摘されている。

× **4**：組織型はほとんどが腺がんである。

× **5**：大腸がんでは、腫瘍マーカーのCEAやCA19-9などの値が上昇する。PSAは前立腺がんのマーカー。

問24　**疾病**［肝硬変］

解答 1、5

○ **1**：肝硬変により肝機能が低下するとアルブミンの産生が低下し、血漿膠質浸透圧を維持できず血管から水分が漏れ出し、腹水や浮腫を引き起こす。

× **2**：肝硬変による黄疸の原因は、間接ビリルビンの肝細胞取り込み障害やグルクロン酸抱合障害、直接ビリルビンの肝外排泄障害である。

× **3**：食道静脈瘤は門脈圧亢進による血液の逆流が原因で生じる。消化管の静脈血が肝臓に流入することができないため、側副血行路を通って心臓に戻ることになり、その副血行路に瘤ができることから生じる。エストロゲン分解低下で生じるのはクモ状血管腫や手掌紅斑である。

× **4**：プロトロンビンは血液凝固の第Ⅱ因子であり肝臓で生成される。肝硬変により肝機能が低下するとプロトロンビンの生成ができず、出血傾向をきたす。

○ **5**：羽ばたき振戦は肝性脳症の一つであり、アンモニアの処理が肝臓でできず高アンモニア血症になることで生じる。

問25　**疾病**［血液・造血器の疾患の病態と診断・治療］

解答 1、3

○ **1**：フィラデルフィア染色体は、22番染色体と9番染色体間で転座が生じ、9番目のabl遺伝子と22番目のbcr遺伝子が融合することで、異常タンパク質を生じる。慢性骨髄性白血病でみられる。

×2：悪性リンパ腫はリンパ系組織に発生する悪性腫瘍で、無痛性のリンパ節腫脹がみられる。ホジキンリンパ腫と非ホジキンリンパ腫がある。

○3：多発性骨髄腫は形質細胞が悪性化した病態で、特殊なモノクローナル抗体（Mタンパク）が検出される。いくつかのタイプがあるが、ベンス・ジョーンズ型では、抗体の軽鎖しか生成されず、このタンパクが尿中に検出される。

×4：血友病Aは血液凝固第Ⅷ因子の欠損、血友病Bは血液凝固第Ⅸ因子の欠損である。性染色体劣性遺伝である。

×5：播種性血管内凝固症候群（DIC）は、凝固過程と線溶過程がどちらも亢進する病態であり、重篤な基礎疾患の後に生じる。基礎疾患として、大出血、敗血症、急性白血病、悪性腫瘍などがある。検査所見として、血小板の減少、フィブリノゲンの減少、プロトロンビン時間（PT）の延長、フィブリン分解産物（FDP）の上昇、赤血球沈降速度の遅延がある。

問26　疾病［関節リウマチ］

解答　1、3

○1：関節リウマチは膠原病のなかで最も発症頻度が高い。

×2：30～50歳代の女性に多く発症する。

○3：関節リウマチは、リウマトイドという自己抗体がつくられ、これにより関節の滑膜にリンパ球が浸潤し、滑膜が肥厚し、この滑膜から炎症性サイトカイン（TNF-α、腫瘍壊死因子）が産生されて次第に軟骨や骨を破壊していく疾患である。

×4：関節の変形は、近位関節（中手指節関節や近位指節間関節）が多い。

×5：悪性関節リウマチとは、血管炎などの関節症状以外の症状が合併することをいう。

問27　疾病［神経機能、運動機能］

解答　1、4

○1：多発性硬化症は、軸索に存在する髄鞘が破壊されていく中枢性の脱髄疾患の一つで、MRIで脱髄病変が認められ、脳脊髄液にIgGが増加する。視力低下、複視などがみられ、次第に、手足の感覚障害や運動障害、認知機能障害が起こる。

×2：重症筋無力症は、神経筋接合部に抗体ができ、アセチルコリンを受け取れなくなった筋肉が次第に萎縮していく神経原性疾患である。初発症状として眼瞼下垂がみられる。筋原性筋萎縮には代表例として筋ジストロフィーがある。

×3：筋萎縮性側索硬化症は、脊髄の前角細胞が変性を起こし、下位および上位運動ニューロンが障害される疾患である。運動神経だけが障害され、感覚は障害されない。

○4：ギラン・バレー症候群は主として運動神経を障害する炎症性ニューロパチーであり、感染症などが先行することが多い。軸索を取り巻く髄鞘がはがれてしまう脱髄型や軸索そのものが障害される軸索障害型の2つのタイプがある。主要症状として運動障害が生じるが、感覚障害も生じることがある。

×5：パーキンソン病は、中脳の黒質が変性し、ドーパミンが低下する疾患である。振戦、筋固縮、無動などが生じる。

問28　疾病［脊髄損傷］

解答　3、4

×1：腹式呼吸は横隔膜が収縮することで行われる。横隔膜はC_3～C_5から分布する横隔神経が支配しており、胸髄損傷では障害を受けていないため、腹式呼吸はできる。

×2：四肢麻痺か対麻痺かの境目は、頸神経のC_8と胸神経のT_1である。胸髄損傷では対麻痺となる。

○3：プッシュアップ（殿部を挙上）は、肘関節の伸展が可能ならばできる。伸展を行うのは上腕三頭筋で、C_7が温存されていればプッシュアップはできる。

○4：錐体路が障害されているため、尿意はない。

×5：プッシュアップができるので、車いすの移乗が可能である。よってトイレは自力で行える。

問29　疾病［女性生殖器の疾患（子宮筋腫、子宮内膜症、卵巣囊腫）］

解答　2、4

×1：単純子宮全摘術は卵巣を残すので排卵はある。

○2：子宮を全摘しているので月経はない。

×3、5：卵巣が温存されているのでエストロゲンの分泌はあり、よって手術の影響による更年期障害はなく、ゴナドトロピンも通常分泌である。

○4：卵巣周期は通常どおりであり、基礎体温は二相性である。

問30　社保［労働と健康］

解答　2、3

×1：産前休業は産前6週（多胎の場合は14週）休業

できる。申請である。
○２：産後休業は８週休業で（ただし、産後６週で本人が請求し、医師が支障がないと認めたときは業務に就かせてよい）、事業主に義務づけられている。
○３：妊婦を危険有害業務に就かせてはならない。事業主に義務づけられている。
×４、５：請求があれば、妊婦に深夜業業務や時間外労働をさせてはならない。

問31　社保［医療保険制度］

解答 ３、５

×１、２、４：これらは被用者保険と国民健康保険ともに給付がある。
○３：傷病手当金は、業務外の疾病による休業期間中の生活を保障する制度で、現金給付される。
○５：出産手当金は、女性労働者に対して産前産後休業期間中の賃金の補填として支給される。産前産後休業期間中に支給される。

問32　社保［国民医療費の動向］

解答 １、５

○１：平成30年（2018年）の国民医療費は、43兆3949億円で、前年度の42兆710億円に比べ3239億円、0.8％増加した。
×２：65歳以上の国民医療費の占める割合は60.6％で、年々増加傾向にある。
×３：人口一人当たりの国民医療費は、34万3200円で、65歳未満は18万8300円、65歳以上では73万8700円となっている。
×４：診療種類別では、医科診療医療費が72.2％、歯科診療医療費が6.8％、薬局調剤医療費は17.4％で、医科診療医療費が最も多い。
○５：国民所得に対する比率は10.73％である。

問33　社保［介護保険制度］

解答 ３、４

×１：在宅酸素療法の費用（機器・ボンベの費用も含む）は医療保険が適用される。自己負担は１割、２割、３割負担がある。
×２：認知症対応型共同生活介護は地域密着型サービスに該当する。
○３：特定施設入居者生活介護は、有料老人ホームなどの入居者が利用できるサービスで、居宅サービスに該当する。
○４：洋式便器への取り換えは、居宅サービスのなかでの福祉用具貸与・購入に該当する。
×５：小規模多機能型居宅介護は地域密着型サービスの一つで、家庭的な環境と地域住民との交流のもとで日常生活の世話を行うサービスである。

問34　社保［福祉事務所］

解答 ３、４

×１：福祉事務所は、概ね人口10万人に対し設置され、都道府県や市は設置義務がある。
×２：社会福祉法に規定されている。
○３：主な業務は生活保護の申請受付と判定である。
○４：児童福祉関係の業務も行っており、助産施設や母子生活支援施設などへの入所手続きも行っている。
×５：児童虐待の立ち入り調査などは児童相談所が行う。

問35　社保［社会福祉に関わる機関と機能］

解答 ３、４

×１：助産施設は、経済的理由で入院助産できない妊産婦を入所させ、助産を受けさせる施設で、児童福祉法に規定されている。
×２：母子・父子福祉センターは無料あるいは低額で各種相談に応じる施設で、母子及び父子並びに寡婦福祉法に規定されている。
○３：宿所提供施設は、住居のない要保護者に対し住宅扶助を行う施設で、生活保護法に規定されている。
○４：介護老人保健施設は、病状安定期だがリハビリや看護・介護を必要とする要介護者が家庭復帰のための機能回復をめざすための施設で、介護保険法に規定されている。
×５：市町村保健センターは、地域住民への直接サービスを行うセンターで、地域保健法に規定されている。

問36　社保［障害者の日常生活及び社会生活を総合的に支援するための法律〈障害者総合支援法〉］

解答 １、５

○１：障害者認定は、市町村に設置されている市町村審査会で行う。
×２：障害者週間（12月３日から９日まで）は障害者基本法に規定されている。
×３：利用者は原則１割自己負担となっている。
×４、○５：自立支援医療は、更生医療、育成医療、精神通院医療がある。自立支援医療のなかの育成医療は、18歳未満の身体障害児に対する医療給付である。小児も対象となっている。

問37 **社保**［公衆衛生の基本］

解答 3、4

×1：世界の労働者の労働条件の改善を目的としているのは国際労働機関（ILO）である。

×2：地球温暖化防止対策は、各国の首脳陣が集まり、温室効果ガスの削減目標を取り決めている。

○3、4：国際疾病分類や感染症対策はWHOが担当する。

×5：児童労働の撲滅は、児童労働の権利と保護を目的に活動するユニセフ（国連児童基金）や、国際労働機関が取り組んでいる。

問38 **社保**［地域保健］

解答 3、4

×1：地域保健法に規定されている。

×2：第1次予防を受け持つのは市町村保健センターである。

○3：管内の人口動態調査を行っている。

○4：保健所の精神分野に関する業務は、管内の精神保健福祉に関する実態調査のほか、医療と保護、精神保健福祉相談などがある。

×5：精神保健に関する技術指導や技術援助は精神保健福祉センターが担う。

問39 **社保**［母子保健］

解答 2、4

×1：不妊手術とは、生殖腺を除去することなしに、生殖を不能にする手術である。

○2：男性も対象となる。

×3：人工妊娠中絶の要件は、①妊娠の継続や分娩が、母体の健康を著しく害するおそれがある場合、②姦淫されて妊娠した場合である。胎児異常によるものは原則認められていない。

○4：指定医師とは、都道府県医師会の指定する医師のことである。人工妊娠中絶は指定医師に限られる。

×5：子宮内への避妊器具挿入は認められていない。

問40 **社保**［精神保健］

解答 1、3

○1：設問どおり。

×2：精神障害者通院医療費公費負担制度は、平成18年より障害者総合支援法に規定されている自立支援医療（精神通院医療）制度へと移行した。

○3：精神障害者保健福祉手帳は、市町村に申請し、認定を受けたら、都道府県知事から交付される。2年ごとの更新である。

×4：精神保健福祉センターは都道府県に設置義務がある。

×5：任意入院は一般の医師の判断でよい。任意入院以外の入院形態は精神保健指定医の判断が必要である。

問41 **社保**［職場の健康管理］

解答 2、5

×1：産業医の設置は、労働者が50名以上の事業場では設置義務がある。労働安全衛生法に規定されている。

○2、5：労働安全衛生法の3本柱は、①作業環境管理、②作業管理、③健康管理である。

×3：トータルヘルスプロモーションプラン（THP）は、日本独自の施策であり、労働者の健康の保持増進を推進している。健康測定を行い、必要に応じて運動指導や栄養指導、メンタルヘルスケアなどを行う。

×4：産業カウンセラーは、一般社団法人日本産業カウンセラー協会が認定する民間資格である。労働者が抱えている諸問題を自らの力で解決できるように援助することを担う。

問42 **社保**［サービスの提供体制］

解答 1、4

○1：地域医療支援病院は、救急医療を提供すること、地域医療従事者の質の向上のための研修を行うなどの承認要件がある。都道府県知事が承認する。

×2：特定機能病院は高度医療を提供する医療施設であり、厚生労働大臣が指定する。

×3：診療所は届け出だけでよい。都道府県知事の認可が必要なのは病院である。

○4：嘱託医師のほかに、嘱託医療機関（産科医を備えた有床の医療施設）との連携も義務化されている。

×5：休日夜間急患センターは初期医療を担う。

問43 **基礎**［健康と生活］

解答 2、5

×1：健康は個別的な概念であり、障害の程度と健康水準は一致しない。

○2：健康は全人的な概念であり、社会的役割を果たせるかどうかも健康の指標となる。

×3：自覚症状がなくても客観的指標が低下している場合もある。

×4：健康と暦年齢は一致しない。

○５：健康の概念は時代とともに変遷する。

問44　基礎［フィジカルアセスメント］

解答 1、4

○１：側臥位をとると皮膚圧反射（圧力の加わっているほうの発汗が抑制され、反対側の発汗が促進する）が起こり、身体の上側のはたらきは促進され、血圧や体温が高くなる。

×２：脈拍測定は示指、中指、薬指をそろえて動脈に沿って置く。母指の動脈は拍動が強く患者の脈拍と混同するため用いない。

×３：触診法での血圧測定は、加圧して脈が触れなくなったらさらに20mmHg送気して、徐々に減圧していき、最初に脈が触れた所の目盛りを収縮期血圧とする。触診法では拡張期血圧を測定できない。

○４：聴診法による血圧測定では、心臓の位置が静水圧０であり、マンシェットの位置（測定部位）が心臓より下にあると、そのぶん、血液の重さが加わり、通常よりも収縮期血圧が高く測定される。

×５：呼吸は随意的に変動させることができるため、呼吸測定することを患者に意識させないようにする。

問45　基礎［食事と栄養］

解答 1、3

○１：経腸栄養では栄養液の滴下の状態や消化管機能の状態によりエネルギー量に変動がある。

×２：投与経路は経腸栄養のほうが生理的である。

○３：直接血管に注入するので、感染症が起こりやすい。

×４、５：経静脈栄養では、消化管を使用しないため、腸粘膜の萎縮が生じ、免疫力の低下や腸内細菌環境の変化がみられ、生体防御能が低下する。

問46　基礎［排泄］

解答 1、5

○１：直腸は体温が高いので、浣腸液は40℃前後とする。

×２：イルリガートルの高さは肛門から50cmが最も滴下速度が適切となる。

×３：膀胱留置カテーテルのバルーンには滅菌蒸留水を入れる。

×４：膀胱洗浄液には体液と同じ生理食塩水を用いるのがよい。滅菌蒸留水では、浸透圧が低く、膀胱粘膜に浸透し、粘膜浮腫を起こす。

○５：左側臥位にすると、直腸が広がり、挿入しやすくなる。

問47　基礎［呼吸、循環、体温調整］

解答 1、4

○１：吸引圧を確認することと、カテーテルの挿入を滑らかにすることを目的としている。

×２：陰圧をかけないで挿入する。

×３：経鼻気管内チューブなので、吸引カテーテルの挿入の長さは25～30cmにする。

○４：吸引圧は150mmHg以下が奨励されている。

×５：ネブライザーは吸引する前に使用するのがよい。

問48　基礎［看護の場に応じた活動］

解答 4、5

×１：入院時から業務は開始される。

×２：早期退院が目的ではない。病院から在宅へスムーズに移行していくための調整である。

×３：在宅でも必要な医療が継続していけるように、介護保険などの社会資源のアドバイスや環境整備、必要物品の調達など、様々な調整を行う。

○４、５：退院調整看護師は、病院と地域を橋渡しする役割がある。

問49　成人［がん患者の治療と看護］

解答 3、5

×１：貼付部位を乾いたタオルで拭いてから使用する。

×２：体温が上昇していると吸収が早くなるので、入浴後すぐは避け、少し時間をおいてから交換する。

○３：皮膚のかぶれなどが起こることがあるので、貼付部位は毎回変える。

×４：中にゲル状になった麻薬が含まれているので、カットはしないで使用する。また、手につけたりしないようにする。

○５：密着させるために、貼付後は少しのあいだ押さえる。

問50　成人［がん患者の治療と看護］

解答 4、5

×１：約24時間後に下痢が生じる場合がある。

×２：１～２週間後などに白血球減少が生じる場合がある。

×３：10～12日後などから脱毛が生じる場合がある。

○４、５：投与直後から、アレルギー反応やインフュージョンリアクション（サイトカイン放出症候群）などが生じる。

問51　成人［胸腔ドレナージ］

解答 1、2

×1：水封室は患者の胸腔と直接接触するので、滅菌蒸留水を入れる。
×2：吸引圧調整室の気泡は、吸引圧を設定値にするために大気中から取り入れた空気である。
○3：短すぎる場合は抜去の危険があり、長すぎる場合は屈曲の危険が生じるため、ある程度の余裕を持たせる。
○4：呼吸によって水面が上下するのは閉塞がないことを意味する。呼吸性移動を観察する。
○5：歩行は可能である。

問52　成人［ペースメーカー］

解答 3、4

×1：電子レンジなど家電の影響はほとんどない。ただしIH調理器は控える。
×2：生活に特に制限はない。運動も通常通り行ってよいが、体をぶつけるような激しいスポーツは控えたほうがよい。
○3：定期的な検脈は行う。
○4：心室への刺激が強い場合は心臓壁の穿通を起こすことがある。吃逆が持続する場合は、横隔膜への刺激が強いことが予想されるので、受診し調整してもらう。
×5：CT検査は禁忌ではない。

問53　成人［循環機能障害のある患者の看護］

解答 1、5

○1：心タンポナーデは心嚢内に浸出液が貯留する病態であり、心嚢穿刺を行う。
×2：解離性大動脈瘤では解離した血管を除去し、人工血管置換術を行う。
×3：ファロー四徴症は、姑息的手術では肺動脈と鎖骨下動脈の吻合術を行い、根治手術はパッチ閉鎖術と肺動脈拡張術を行う。人工弁置換術は心臓弁膜症で行われる。
×4：心室中隔欠損症では欠損している部分を塞ぐ手術であるパッチ閉鎖術、直接閉鎖術（自己心膜を使用）を行う。
○5：閉塞性動脈硬化症では血管を拡張させるステントを留置する。

問54　成人［栄養代謝機能障害のある患者の看護］

解答 3、5

ラジオ波焼灼術とは、腫瘍の中に直径1.5mmの電極針を挿入し、450キロヘルツの高周波であるラジオ波電流を流して熱によって腫瘍を固め、腫瘍細胞の機能を失わせる目的である。

×1：全身麻酔ではなく局所麻酔で行われる。出血傾向や腎障害、アレルギーなどのチェックをする必要があるため、術前検査は行われる。
×2：動脈を穿刺するわけではないので足背動脈のマーキングは不要である。
○3：治療後、出血を予防するために4時間程度は絶対安静にする。
×4：治療当日の夕食から食事は摂取できる。
○5：副作用として、痛み、発熱、悪心・嘔吐などが出現することがある。また、皮膚火傷を生ずることがあるので、観察を行う。

問55　成人［2型糖尿病］

解答 3、5

×1、2：栄養素はバランスよく摂取する。おおむね、糖質：たんぱく質：脂質は5：2：3の割合である。
○3：適切な摂取エネルギー量は、標準体重×身体活動量で計算される。
×4：血糖値は通常、食後30分頃から上昇し2時間ほどで元に戻るが、糖尿病の場合はもともと血糖値が高く、さらに高血糖が持続する時間が長いので、運動は食事摂取後1時間ごろに始めるのがよい。
○5：有酸素運動は脂肪燃焼効果が高いので、インスリン分泌の節約にもつながる。

問56　成人［慢性腎臓病］

解答 2、4

×1：一般にCAPDは毎日実施し、1日4回ほどバッグ交換を行う。
○2：腹膜透析では腹膜から透析液に含まれるブドウ糖を吸収するため肥満になりやすい。エネルギーの摂りすぎに注意する。
×3：透析液は注入前に体温程度に温めるが、電子レンジは用いない。専用の加温器を用いる。
○4：透析バッグの交換は清潔に扱う。
×5：風通しのよいところは空気中の塵が舞う可能性があるので避ける。

問57　成人［身体防御機能の障害のある患者の看護］

解答 1、5

○1：ベーチェット病は、口腔内アフタ性潰瘍、外陰部潰瘍、皮膚の有痛性結節性紅斑を主症状とする。
×2：全身性エリテマトーデスの症状で多いのは、関節炎、脱毛、蝶形紅斑などである。口腔内乾燥はシェーグレン症候群でみられる。
×3：強皮症では皮膚の浮腫、硬化、萎縮から始まり内臓へ進行していく。血清γグロブリン値は高い。

×4：多発性筋炎は筋組織にリンパ球やマクロファージが浸潤し、筋力低下、筋萎縮を引き起こす。血清クレアチンキナーゼ（CPK）が上昇する。

○5：皮膚筋炎では目の周辺に紫紅色の皮疹が生ずる。これをヘリオトロープ疹という。

問58　成人［高次脳機能障害］

解答 3、4

×1、5：失行症は、高次脳機能障害の一つで、意識障害も運動障害もないにもかかわらず、行うべき行為ができない病態である。原因は、主に左半球の大脳皮質頭頂葉の障害であることが多い。脳梗塞の後に生ずることがある。

×2：左側を無視した行動は、半側空間失認で、左側が認知できない病態である。

○3：認識はあるが、行うべき行動ができない。

○4：模倣することができない。

問59　成人［排尿機能障害のある患者の看護］

解答 3、5

×1：クレアチニン・クリアランスは糸球体濾過値を調べる検査で、式は以下の通りである。
尿中クレアチニン値（mg/dL）×1分間尿量（mL）／血中クレアチニン値（mg/dL）

×2：フィッシュバーグ濃縮テストは、朝起床後、水分も食事も摂取せずに3回採尿する。

○3：推算糸球体濾過量（eGFR）は、血清クレアチニン値、年齢、性別から糸球体濾過量を推算するもので、採尿せず採血のみで行える。

×4：腎生検後は出血を予防するために24時間は床上安静する。

○5：排泄性腎盂造影は、尿路結石などを見つけるための検査である。

問60　成人［女性生殖器の疾患（子宮筋腫、子宮内膜症、卵巣嚢腫）］

解答 3、4

○1：子宮内膜症は、内膜組織が異所性に増殖する疾患である。卵巣に発生するとチョコレート嚢胞となる。

○2：月経困難症が強い。ほかに腰痛、性交痛などが起こる。

×3：エストロゲン依存性であり、エストロゲンが減少する閉経期には子宮内膜症の発症も減少する。

×4：妊娠期はプロゲステロンが増加しているので子宮内膜の増殖が抑制され、症状が改善する。

○5：エストロゲンの分泌を抑える薬剤を使用し、擬似的に閉経状態をつくる治療を行う。

問61　老年［加齢に伴う薬物動態の変化］

解答 2、3

×1：高齢者は細胞内液が減少するため、水溶性薬剤の分布容積は減少し血中濃度が高まる。

○2：高齢者は体内に脂肪が蓄積しやすいため、脂溶性薬剤の体内蓄積が起こりやすい。

○3：高齢者は肝機能が低下し薬物代謝が滞るため、薬剤の半減期が延長する。

×4：高齢者は血漿タンパク（アルブミン）が減少するため、血漿タンパクと結合した薬剤は減少し、遊離薬剤が増加する。

×5：高齢者は消化管機能が低下するため、小腸からの吸収が遅くなり、薬剤効果の発現が遅れる。

問62　老年［視覚障害］

解答 1、3

○1：老視は水晶体の弾力性低下や毛様体筋の緊張性低下による目の調整力の低下が原因である。

×2：白内障は水晶体の混濁が原因で起こる。硝子体の混濁では飛蚊症がみられる。

○3：暗順応とは、暗闇でも目が慣れてきて見えるようになることをいう。高齢者では暗順応が低下し、暗闇に慣れるまで時間がかかる。これは視細胞の機能低下によるもので、ロドプシンの合成・分解に多くの時間が必要になるためである。

×4：高齢者は青や紺といった寒色系の弁別能力が低下し区別がつきにくくなる。赤や橙といった暖色系の弁別能力は比較的保たれる。

×5：高齢者は加齢により瞳孔の拡大が起こりにくいため縮瞳の傾向にある（老人性縮瞳）。動眼神経麻痺では縮瞳ができなくなる。

問63　老年［認知症］

解答 4、5

×1：バーセル・インデックスは日常生活動作（ADL）を評価する方法の一つである。食事や歩行、排尿など10項目を「自立」「部分介助」「全面介助」の尺度で点数化し評価する。

×2：ブレーデン・スケールは褥瘡の発生を予測するスケールである。知覚の認知や湿潤などの6項目を3～4段階で評価する。23点満点で、14点以下（病院）は褥瘡が生じやすいと判断する。

×3：グラスゴー・コーマ・スケールは意識障害の評価に用いる。開眼を4段階、発語を5段階、運動機能を6段階で評価し、15点満点が最も軽症で、3点が最も重症と判断する。

○4：MMSEは認知症の診断に用いられるテストである。11の質問表からなり、見当識、記憶力、計算力などを評価する。24点以上が正常であり、10点未満は高度な認知機能低下と判断する。

○5：DBDスケールは認知症の問題行動を評価する尺度であり、観察によって評価する。質問は28項目からなり、「まったくない（0点）」「ほとんどない（1点）」「ときどきある（2点）」「よくある（3点）」「常にある（4点）」の5段階で評価する。総得点は112点で、得点が高いほど問題行動が高いことを意味する。

問64 **老年**［骨折］

解答 2、5

×1：脱臼予防のために軽度外転・回旋中間位とする。

○2：腓骨神経麻痺を予防するため、腓骨神経支配の領域である足の第一趾と第二趾のしびれの有無を観察する。

×3：術後1日目から行うのは関節運動を伴わない等尺性運動であり、早期からの筋力増強を図る。

×4：体位変換は翌日から行ってよい。ただし、複数で行い、一人が患肢を保持する。

○5：術後は下肢静脈の血栓形成による肺塞栓症に留意する。

問65 **老年**［介護保険施設等に入所する高齢者の暮らしと看護］

解答 2、3

×1：ケアハウスは軽費老人ホームの一つであり、住環境をよくした施設で、老人福祉法に規定されている。介護保険の居宅サービスを受けることができる。

○2：特別養護老人ホームは老人福祉法に規定されている。医師は非常勤でもよい。

○3：介護老人保健施設は介護保険法にその法的根拠が明記されている。医師は常勤で配置する必要があり、介護と医療を行う。

×4：介護療養型医療施設は介護保険法で施設サービスに指定されているが、要支援者は対象外となる。

×5：認知症対応型共同生活介護（グループホーム）は地域密着型サービスの一つであり、要支援2以上の介護認定を受けた認知症の人が入所対象である。

問66 **小児**［感染予防と予防接種］

解答 3、5

×1、2：ポリオとDPTワクチンは現在、四種混合ワクチン（DPT-IPV）として、生後3か月から複数回の接種が行われる。

○3、5：水痘とMRワクチン（麻しん風しん混合）は、1歳以降に2回接種する。水痘は1歳から3歳になるまでの間に2回、MRワクチンは1歳代に1回、小学校入学の前年に1回である。

×4：BCGは1歳未満に1回接種する。

問67 **小児**［急性症状のある子どもと家族への看護］

解答 2、4

×1：体重減少率5％未満は軽度脱水、5～10％未満は中等度脱水、10％以上は重度脱水である。設問では、体重減少率は、8－7.4/8×100＝7.5％となり、中等度脱水である。

○2：尿が出ていないので、カリウムを含まない輸液を準備する。

×3：下痢があり、嘔吐はないとあるので、代謝性アシドーシスと判断される。

○4：中等度脱水であり、ツルゴール（皮膚の弾力性）はゆっくり戻る。

×5：嘔吐はないので、飲水可能であれば、飲水させてよい。ただし誤嚥に注意する。

問68 **小児**［急性症状のある子どもと家族への看護］

解答 2、4

×1：腸重積は男児が多い。

○2：治療上からも発症時間を明確にしておく必要がある。腹痛のときに啼泣があるので、間欠的啼泣の出現が発症とみる。

×3：腸重積は絞扼性腸閉塞に分類される。

○4：粘血便が特徴である。

×5：まず保存的治療を優先させる。高圧浣腸を施行して整復させる。整復ができない場合、手術が考慮される。

問69 **小児**［急性症状のある子どもと家族への看護］

解答 1、5

○1、5 ×2、3、4

川崎病の所見は、①5日以上続く発熱（ただし治療により5日未満で解熱した場合も含める）、②四肢末端の変化：（急性期）手足の硬性浮腫・掌蹠ないしは指趾先端の紅斑、（回復期）指先からの膜様落屑、③不定形発疹、④両側眼球粘膜の充血、⑤口唇の紅潮、苺舌、口腔咽頭粘膜びまん性発赤、⑥非化膿性頸部リンパ節腫脹。以上6つの症状のなかで、5つ以上伴う場合診断される。また、4つ以上＋冠動脈瘤がある場合も診断される。

問70 小児［先天性疾患のある子どもと家族への看護］

解答 2、4

×1：常染色体劣性遺伝である。

○2：フェニルアラニンをチロシンに分解する酵素が欠損し、フェニルアラニンが蓄積する。

×3：チロシンはメラニンの材料でもあるので、チロシンができないと皮膚の色は薄くなる。

○4：新生児マススクリーニングの対象疾患である。

×5：治療として、低フェニルアラニン食を与える。

問71 母性［リプロダクティブ・ヘルスに関する法や施策と支援］

解答 3、4

×1：母体保護法に、「人工妊娠中絶とは、胎児が、母体外において、生命を保続することのできない時期に、人工的に、胎児及びその附属物を母体外に排出することをいう」と定義されている。妊娠22週未満まで可能とされる。

×2：養育医療は未熟児に対する医療給付で、母子保健法に規定されるが、体重は規定されていない。2500 g未満は低出生体重児である。同法で未熟児とは、「身体の発育が未熟のまま出生した乳児であつて、正常児が出生時に有する諸機能を得るに至るまでのもの」とされる。

○3：育成医療とは身体障害児に対する医療給付で障害者総合支援法に規定されている。

○4：労働基準法には妊産婦を有害業務に就業させてはならないと規定されている。事業主の義務である。

×5：妊産婦の健康診査のための時間確保は男女雇用機会均等法に規定されている。

問72 母性［不妊症（男性不妊症、女性不妊症）］

解答 1、4

○1：日本産科婦人科学会では、「不妊（症）とは、生殖年齢の男女が妊娠を希望し，ある一定期間、避妊することなく通常の性交を継続的に行っているにもかかわらず、妊娠の成立をみない場合を不妊という。その一定期間については1年というのが一般的である。なお、妊娠のために医学的介入が必要な場合は期間を問わない」としている。

×2：不妊症の原因は、男性と女性はほぼ半分といわれている。

×3：女性側の要因として最も多いのは卵管因子で、男性側で最も多いのは造精機能障害である。

○4：子宮内膜組織検査とは、子宮内膜から組織を採取し、着床可能な内膜に変化しているかどうかを診る検査で、黄体期に行う。

×5：卵管通気法は、卵管狭窄の有無を診る検査で、卵胞期に行う。排卵期は妊娠の可能性があるので禁忌である。

問73 母性［妊娠期の看護］

解答 3、4

×1：妊娠1週ではまだ検出されない。hCG（ヒト絨毛性ゴナドトロピン）は妊娠3週半～4週頃から増加し、妊娠8～14週でピークに達し、以後減少する。

×2：妊娠しているので卵胞は存在していない。妊娠黄体からプロゲステロンとエストロゲンが分泌されている。

○3：基礎体温が上昇するのは妊娠黄体からプロゲステロンが分泌されているためで、胎盤が形成されると妊娠黄体は次第に縮小し白体に変わるとプロゲステロンの分泌が低下する。高温相は妊娠12～14週頃までである。

○4：胎嚢とは子宮腔内にみられる小さな袋である。妊娠の確定診断となる。正常な妊娠であれば妊娠6週には全例に認められる。

×5：胎動は妊娠初期ではなく中期に自覚できる。初産婦では20週、経産婦は18週ごろに自覚するようになる。

問74 母性［妊娠期の看護］

解答 1、3

○1：つわりの時期は栄養価にこだわらず、好きなものを摂取する。

×2：喫煙は血管を収縮させるため、胎児側への酸素や栄養が減少する。巨大児ではなく低出生体重児になりやすい。

○3：胎盤の完成は妊娠15～16週で、つわりもなく食欲が増加してくるので、体重増加に注意する。

×4：エストロゲンではなくプロゲステロンの影響により便秘傾向になる。プロゲステロンは腸の蠕動運動を抑制する作用をもつ。

×5：ヒールのない靴はむしろ疲れやすい。2～3cmのヒールのあるものがよい。

問75 母性［妊娠期の看護］

解答 1、5

○1：胎児の推定体重、胎児心音、子宮底長、胎動も盛んであることから胎児の発育は順調と判断される。子宮底長はおおむね 21 ～ 24cm が正常。

×2：心音を母体の左下腹部に1か所聴取とあるので、胎児は第1頭位である。

×3：Aさんは現在妊娠 24 週である。妊婦健康診査の頻度は妊娠 24 ～ 35 週は2週間に1回なので、次回の健診は2週間後となる。

×4：現在 24 週1日であることから前回の健診は4週間前である。4週で 1.5kg の体重増加なので、1週間で 500g 未満であり、正常範囲内である。

○5：単胎では産前休業は6週なので、34 週になれば産前休業を取得できる。

問76　母性［妊娠糖尿病］

解答 1、4

○1：妊娠糖尿病の妊婦は高血圧症も合併しやすい。

×2：母体が高血糖だと、胎児側にブドウ糖が移動し、胎児はインスリンを分泌させるので、むしろ胎児は血糖値低下となり、巨大児になりやすい。

×3：妊娠糖尿病で薬物療法を行うときはインスリンを使用する。経口血糖降下薬は催奇形性があるため用いない。

○4：妊娠糖尿病の血糖コントロールは、空腹時血糖値 95mg/dL 未満、食後1時間値 140mg/dL 未満または食後2時間値 120mg/dL 未満、HbA1c 6.0 ～ 6.5％未満を目標とする（糖尿病治療ガイド 2020-2021）。

×5：非妊時 BMI22 なので、妊娠中期では食事エネルギー量は、標準体重× 30 ＋ 250kcal

問77　母性［分娩期の健康問題に対する看護］

解答 1、4

○1：リトマス試験紙が青色に変化したことから、流出物は羊水と考えられ、破水が起こったと考えられる。規則的陣痛の前の破水なので、前期破水である。

×2：不規則陣痛であり、分娩陣痛にはなっていない。

×3：破水後は感染予防のために入浴やシャワー浴は禁止される。

○4：胎児下降度が－2 cm であり、臍帯脱出が起こる可能性があるので、骨盤高位とする。

×5：食事は通常摂取でよい。

問78　母性［正常な産褥の経過］

解答 1、5

○1：分娩直後と産褥3日目の子宮底高は臍下3横指である。

×2：産褥数日は尿量が増え、徐脈傾向となる。

×3：ルービンは、母親への適応過程について①受容期（産褥1～2日頃）、②保持期（産褥2、3～10 日間）、③解放期（保持期以降）の3段階があるとしている。受容期は依存的傾向、保持期は自立の時期、解放期は母体と児が完全に離れたことを認識する時期である。

×4：鶏卵大とは非妊時の子宮の大きさである。非妊時に戻るのは産褥6週頃になる。

○5：悪露は、産褥4日目にはほとんど排出される。

問79　母性［母乳育児の状況、栄養法］

解答 3、4

×1：初乳は黄白色で半透明である。白色不透明なのは成乳である。

×2：糖質は成乳のほうが多い。初乳は良質のタンパク質が多い。

○3：出始めの乳汁には脂肪成分が少なく、飲んでいるうちに次第に脂肪成分が多くなってくる。

○4：母乳は完全栄養食であるが、唯一の欠点として、ビタミンKが不足している。また、母乳黄疸が起こることがある。これは母乳に含まれるプレグナンジオールという成分が肝臓でのビリルビンのグルクロン酸抱合を阻害することで起こる。

×5：射乳を促すホルモンは、オキシトシンである。バソプレシンは、腎臓での水分の再吸収を促すホルモンである。

問80　母性［早期新生児期の健康と発育のアセスメント］

解答 3、5

○1：新生児の呼吸数は 40 ～ 50 回／分である。

○2：生理的黄疸の時期である。総ビリルビン15mg/dL以上が異常である。

×3：新生児の便は生後2日頃までは暗緑色の胎便で、以降は黄色味を帯びた移行便となる。生後4日の黒緑色便は、胎便の排泄遅延か、一度移行便になったあととすると消化管出血を意味している。

○4：新生児では生後3～5日頃に胎便の排泄や組織液の減少などにより生理的体重減少が起こる。減少率は 10％未満程度であり、8％は正常範囲である。

×5：新生児の尿量は、生後 24 時間以降は1mL/ 体重(kg)/ 時間以上が正常とされる。

問81 **母性**［早期新生児の健康問題に対する看護］

解答 2、5

×1：1400g なので、極低出生体重児にあたる。超低出生体重児は 1000g 未満である。

○2：サーファクタントは、妊娠 28 ～ 30 週頃から分泌し始めるが、32 週以降にならないと十分な分泌は行われない。それより前に出産したときは呼吸窮迫症候群になりやすい。

×3：シルバーマンスコアとは呼吸状態を評価するスコアで、点数が低いほど良好である。仮死状態なので、スコアは高い。

×4：アプガースコアは児の状態が良好であるほど点数が高い。仮死状態なので、点数が高いとは考えにくい。

○5：新生児はもともと、体重当たりの体表面積が大きい。そのため、熱の放散が起こり低体温になりやすい。極低出生体重児ではさらに体重当たりの体表面積が大きいのでより低体温になりやすい。

問82 **母性**［早産児、低出生体重児］

解答 3、4

×1：新生児では筋肉の収縮による熱産生は行われていない。よってたとえ、低体温でも震えはみられない。熱産生は、頸部と肩甲骨の間にある褐色脂肪細胞を分解して熱を産生している。

×2：保育器内の温度は 33～36℃、湿度は 50～60%に設定しておく。

○3：ディベロップメンタルケアとは、新生児をストレスにさらさない保育環境に置き、発育を促すケアのことである。具体的には、モニターの音を下げる、夜は照度を下げる、子宮環境に近い肢位をとらせる（ポジショニング）等である。

○4：感染予防の観点から児専用の聴診器を用意する。

×5：両親の面会は制限する必要はない。

問83 **精神**［精神の健康に関する普及啓発］

解答 2、3

○1：こころのバリアフリーとは、障害者を先入観をもって見たり偏見の目で見たりしないこと。認め合い、理解することが大切である。

×2：スティグマとは、個人に押し付けられる負の表象、レッテル、烙印を意味する。こうしたスティグマは障害者への差別を助長し、障害者の社会復帰を阻害する。

×3：家族の感情表出（EE）とは、家族が患者に対し示す様々な感情の表し方をいう。批判的、過干渉的感情の強い高 EE 状態は患者の再発を引き起こすと指摘されている。

○4：地域で治療を受けながら過ごすことは再発を防ぎ、社会復帰を促す。

○5：ピアとは仲間という意味で、患者同士が互いに支え合い、感情の交流を行うことは社会復帰につながる。

問84 **精神**［身体疾患がある者の精神の健康］

解答 3、5

×1：重い病気と思い込んでいるのは心気症である。

×2：過去の出来事が蘇ってくるのはフラッシュバックで、心的外傷後ストレス障害（PTSD）でみられる。

○3：心身症とは、身体的疾患を有し、この疾患が心因性によって引き起こされた病態をいう。代表的な疾患として潰瘍がある。感情を表出できない人にみられる傾向がある。

×4：試し行為とは、本心ではない言動をとって周囲の人を試すことで、境界型パーソナリティ障害でみられる。

○5：「リエゾン」とは、橋渡し・つなぐという意味がある。心身症の治療では、内科的アプローチと同時に精神的アプローチも並行して行っていく必要がある。

問85 **精神**［主な精神疾患・障害の特徴と看護］

解答 3、5

×1：十分な休息をとることを優先させる。日課の参加を強要しない。

×2：大勢が集まるところへの参加は患者の負担となる。

○3：うつ症状は午前中が強く、午後になると軽快する。ケアをするときは午後がよい。

×4：家族の面会は本人が希望しないかぎり積極的には行わない。家族に対する申し訳なさが先に立ち、病状を悪化させてしまうことがある。

○5：うつ病では自殺企図に注意する。特に発病初期の急性期や回復期には自殺企図には注意が必要である。サインを見逃さない。

問86 **精神**［統合失調症、統合失調症型障害および妄想性障害］

解答 2、4

×1：統合失調症には抗精神病薬を投与する。

○2：SSRI はうつ病治療薬である。抗コリン作用の副作用が少ないが、悪心などの消化器症状がみられる。

×3：躁病には炭酸リチウムを投与する。
○4：SSRI は強迫性障害にも有効である。
×5：薬物中毒には、集団精神療法を行う。

問87 **精神**［心理教育的アプローチ］

解答 2、4

×1：生活技能を身につけるのは生活技能訓練（SST）である。
○2：心理教育は、心理面に配慮しながら、疾患を正しく理解し、生じてくる様々な問題に対処していく方法を習得し、主体的に療養生活を営めるように援助する治療法である。
×3：精神疾患患者に限らず、受容しにくい問題をもつ人に対して行われるアプローチ法である。
○4：家族だけを対象とする家族心理教育もある。
×5：入院中でも外来でも行われる。

問88 **精神**［電気けいれん療法］

解答 3、5

×1：全身麻酔で行う。
×2：以前は大発作を誘発し骨折などが起こりやすかったが、修正型電気けいれん療法では、全身麻酔をかけ、筋弛緩薬を使用してから、「パルス波」とよばれる電気刺激を与えるので、けいれんはみられなくなった。
○3：副作用として、記憶障害や見当識障害が起こることがある。
×4：電気けいれん療法は、複数回行うのが一般的である。治療効果は高いが、即効性で持続期間が短いことが特徴である。
○5：同意書は必要である。

問89 **精神**［社会資源の活用とケアマネジメント］

解答 3、4

×1：自宅で母親と順調に過ごしており、共同生活援助を使う必要はない。
×2：母親との関係も良好で、母親の介護疲れもうかがえないことから短期入所は不要である。
○3：自立訓練（生活訓練）は、就職を希望するものの生活面や対人面で不安がある人に対し、社会生活を送るためのスキルを身につける訓練を行う場である。患者自身、長期間にわたり入院していたために対人面に不安を感じているので、このサービスは適している。
○4：就労移行支援は、一般企業への就職を希望する人に対して、就労に必要な知識技能の訓練を行う場である。
×5：就労継続支援は、一般企業で働くことが困難な人に対して働く場を提供し、必要な知識技能を訓練する場である。A型は雇用型で、B型は非雇用型である。患者は一般企業への就職を希望しており、服薬管理も良好で、一般企業での就職は可能である。

問90 **精神**［隔離、身体拘束］

解答 2、5

×1：12 時間以上の隔離は、精神保健指定医の判断が必要である。
○2：本人の意思で入室する場合は隔離には当たらない。その旨を書面に残す。
×3：隔離室への入室は1室に1人とする。
×4：隔離室への入室は患者および家族の同意は必要としない。隔離の理由を診療録に記載しなければならない。
○5：入浴などのケアで隔離の一時中断が生じる。こうしたケアにかかわるものに関しては看護師が判断してよい。

問91 **精神**［日本における精神医療の変遷］

解答 1、5

○1：精神病者監護法（1900 年）で、精神障害者の私宅監置が合法化された。
×2：精神病院法（1919 年）で、精神医療における公的責任が表明されたが、公立病院はわずかしか設置されなかった。
×3：精神衛生法（1950 年）には、第二次世界大戦後に新たな憲法のもとで、私宅監置の撤廃、公立精神病院設置義務化、措置入院の導入が盛り込まれた。その後、ライシャワー駐日大使が精神障害者から刺傷された事件をきっかけに精神衛生法が改正され（1965 年）、措置入院の強化と在宅患者の治療の充実などが図られた。
×4：精神保健法（1987 年）には、精神障害者の人権の保護、社会復帰の促進が盛り込まれた。1984 年の宇都宮病院事件（看護職員による患者の暴力死事件）によっても精神医療の体制に批判の目が向けられることとなった。
○5：1995 年の精神保健法の改正で、名称も変更されて精神保健福祉法となり、精神障害者保健福祉手帳が創設された。

問92 **精神**［精神保健及び精神障害者福祉に関する法律〈精神保健福祉法〉の運用］

解答 1、5

○1：目的は、精神障害者の医療および保護、社会復帰の促進、社会経済活動への参加の促進などによる精神障害者の福祉の増進、および国民の精神保健の向上を図ることである。

×2、3：知的障害は精神障害の定義に含まれるが、知的障害者には療育手帳があるので、精神障害者保健福祉手帳の交付は対象外である。

×4：精神保健福祉センターは高次専門機関で、都道府県知事に設置義務がある。

○5：精神保健指定医は、入院治療に必要な知識および技能を有し、5年以上の医療実務経験かつ3年以上の精神科実務経験があるものが申請し、厚生労働大臣が指定する。指定後も厚生労働大臣が定める研修を受ける必要がある。

問93 精神［精神保健医療福祉の変遷と法や施策］

解答 2、3

×1：心神喪失または心神耗弱の状態で重大な他害行為を行った人が不起訴処分や無罪判決が確定した場合に適用される。

○2：重大な他害行為とは、殺人、放火、強盗、強姦、強制わいせつ、傷害などである。

○3：法の目的は、適切な治療や観察を提供し、病状に伴う同様の行為の再発を防止して社会復帰を促進することである。

×4：不起訴処分や無罪判決が確定した人について、検察官が申し立てを行い、裁判所は2か月を限度とする鑑定入院の結果をふまえて、指定医療機関での入院治療または通院治療、もしくはそれらの不必要を決定する。この審判には、精神保健審判員（精神保健判定医）、精神保健参与員（精神保健福祉士など）が関与することになっている。

×5：処遇には入院と通院があるが、そのまえに、2～3か月鑑別入院をし、そのあとにそれぞれ分かれる。入院治療は、国や都道府県が指定した指定医療機関で行われる。

問94 在宅［在宅療養者の家族への看護］

解答 2、3

×1、4、5 ○2、3

家事や介護は80歳の妻が行っており、妻の介護負担が大きいことが予想される。妻の健康状態と男性のADLの程度を把握することで、男性へのリハビリ導入の計画や妻の介護負担の軽減への援助について検討することができる。

問95 在宅［終末期にある療養者］

解答 3、5

×1：53歳は介護保険の第2号被保険者に当たる。がん末期は介護保険の第2号被保険者がサービスを受給できる要件である特定疾病に該当するので、介護保険サービスは受けられる。

×2：要介護認定者でも、がん末期の訪問看護は医療保険から給付される。

○3：入浴時はいったん留置針を外す。入浴後、再度穿刺する。

×4：持続皮下注入器にレスキュー用のボタンがあり、痛みが強いときに押すと、レスキュー量が投与される。過剰投与を防ぐための制限が設定されている。

○5：感染症予防のために、穿刺部に発赤がみられるときは入れ替える。

問96 在宅［人工呼吸療法（非侵襲的換気療法）］

解答 4、5

×1：非侵襲的陽圧換気法（NPPV）は、気管内挿管や気管切開などの侵襲を伴わずに行う換気法で、鼻マスクを密着させて陽圧をかけることで換気する。

×2：喀痰が多いと痰が貯留し気道が閉塞する可能性があるので不向きである。

×3：NPPVは人工呼吸器を使用する。酸素濃縮器を使用するのは在宅酸素療法である。

○4：換気を促し、高二酸化炭素血症の改善に効果がある。

○5：長期間活用できる。

問97 在宅［中心静脈栄養法］

解答 4、5

×1：退院後には自己管理していかなければならないので、退院前に一人でできるように指導していく。

×2：HPNで最も注意しなければならないのは感染症である。早期発見のためにも体温測定は毎日定期的に行う。

×3：針を抜いて止血すれば入浴は可能である。

○4：注射針は医療廃棄物に当たるので、病院に返却する。

○5：食物を経口摂取しなくなると唾液の分泌が減少してくる。唾液が少なくなると口腔内の細菌が増え、感染症の原因ともなる。そのため、経口摂取でなくても口腔ケアは定期的に行う。

問98　統合［医療安全のマネジメント］

解答 3、4

×1、2：医療の安全を確保するための措置は医療法に規定されており、すべての病院に義務付けられている。

○3、4：医療安全管理、感染防止対策、医療機器、医薬品の4つの柱がある。

×5：医療安全対策は、医療安全対策加算などの診療報酬の対象である。

問99　統合［災害と看護］

解答 3、5

×1：トリアージは超急性期（発生直後から数時間）に必要な役割である。

×2：物資の調達は急性期（発生十数時間から1週間）に必要な役割である。

○3、5：亜急性期は発生1週間〜1か月頃で、このころは感染症の発生、持病の悪化が生じやすい時期であり、留意する必要がある。

×4：災害訓練は、いつ起こるかわからない災害に対して常に準備しておくためのもので、災害の静穏期に必要である。

問100　統合［国際化と看護］

解答 1、2

○1、2　×3、4、5

経済連携協定（EPA：Economic Partnership Agreement）とは、自由貿易協定（FTA）を柱として、特定の二国間や複数国間で人材の移動や投資について締結される包括的な協定をいう。日本は、看護・介護分野では、フィリピン、インドネシア、ベトナムと協定を結んでいる。

状況設定問題

問1～3　成人［循環機能障害のある患者の看護］

問1

解答 3、4

×1：心筋梗塞の既往はあるが、血圧は正常値から逸脱しているものの低下というほどではなく、心原性ショック状態にはない。「心電図上、STの上昇はない」とあり、心筋梗塞発作は否定される。

×2：心タンポナーデでは脈圧（収縮期血圧と拡張期血圧の差）の低下が起こる。入院時の所見ではみられない。

○3：左心不全では、肺うっ血による症状として呼吸困難や泡沫状血痰がみられ、右心不全では静脈圧の上昇により浮腫が生じる。Ⅲ音ギャロップ音（奔馬音）は心不全特有の心雑音である。また、心胸郭比60％は心拡大の所見であり、両側の心不全が疑われる。

○4：心拍数130/分、脈拍数100/分と格差があり、心房細動が疑われる。心不全では心房細動が生じやすい。

×5：閉塞性換気障害では、動脈血二酸化炭素分圧（$PaCO_2$）がもっと上昇するはずである。

問2

解答 3

検査所見から心タンポナーデが起こっている。

×1、2：動脈血液ガス分析は、動脈血酸素分圧（PaO_2）80mmHg、動脈血二酸化炭素分圧（$PaCO_2$）40mmHg、動脈血酸素飽和度（SaO_2）96％であり、呼吸器合併症ではこれらのデータが異常を示すはずである。

○3：開心術後は、心タンポナーデの合併症が生じやすい。中心静脈圧の上昇や収縮期血圧の低下、脈圧の低下が傍証となる。検査所見から心タンポナーデが起きていると考えられる。

×4：解離性大動脈瘤では血圧の上昇や激痛、ショック状態となる。

×5：感染性心内膜炎は、細菌感染により生じ、人工弁置換術後に起こることがある。発熱が続き、心雑音が聴取される。現時点では否定される。

問3

解答 3、5

×1：引き続き心不全予防が必要である。過剰な水分摂取は控える。

×2：高エネルギー食は、代謝のために酸素を多く消費し、心臓に負担をかける。通常のエネルギー量でよい。

○3：人工弁置換術後は血栓予防のために、ワルファリンが処方される。ワルファリンはビタミンKを抑制し、血栓を作らせないようにする薬剤である。ビタミンKを多く含む納豆は控える。

×4：スポーツは行ってよいが過度なスポーツは控える。

○5：人工弁置換術は身体障害の内部障害に含まれるため、身体障害者手帳の交付を受けることができる。

問4～5　小児［先天性疾患のある子どもと家族への看護］

問4

解答 3

×1：左右シャントに属する。悪化した場合は右左シャントとなる。

×2：現時点では全身に動脈血が流れているのでチアノーゼはない。

○3：収縮時に、血液が左心室から右心室へ流れるため、収縮期心雑音が聴取される。

×4：肺への血流量が減少するのはファロー四徴症である。心室中隔欠損症が悪化していけば肺高血圧症に進行する。

×5：アイゼンメンジャー症候群は、同疾患が悪化し、肺高血圧症となって右→左のシャントになった状態である。

問5

解答 1、5

○1：心室中隔のパッチ閉鎖術では、房室結節やヒス束を損傷することがあり、房室ブロックが合併することがある。徐脈に伴う自覚症状などを観察しておく。また、水分の摂りすぎで心不全を合併することもあるので留意する。

×2：通常の生活、運動は行える。胸骨正中切開では２～３か月は、鉄棒などにぶら下がったり、重いリュックを背負ったり、胸に強い衝撃が加わるようなことは控える。

×3：１か月ほどで通園できる。

×4：不活化ワクチンは３か月経過後行ってよい。生ワクチンは半年後に行う。

○5：歯の治療などで感染が起こる可能性もあるので、既往歴は説明しておく。

問6～8 **母性**［妊娠糖尿病と帝王切開術］

問6

解答 3、5

×1、2、4 ○3、5

母体側の合併症として、代謝性アシドーシス、羊水過多、流産・早産、妊娠高血圧症候群がある。

問7

解答 2

○2 ×1、3、4、5

血糖コントロールの目標は、空腹時血糖値95mg/dL未満、食後1時間値140mg/dL未満または食後2時間値120mg/dL未満、HbA1c 6.0～6.5％未満である（糖尿病治療ガイド2020-2021）。

問8

解答 2、4

×1：巨大児であり、胎児期からインスリンが分泌され、出生時には低血糖になっていることが多い。

○2：帝王切開術は産道を通過しないので、肺胞内の液体が取り除かれず、出生後多呼吸になりやすい。

×3：胎便吸引症候群では羊水は緑色混濁を呈する。羊水は正常とあるので、否定される。

○4：帝王切開術では、手術当日安静となり、離床が自然分娩より遅くなる。母体は元々血液凝固系が亢進しているので血栓をつくりやすい。

×5：産褥期のトラブルが起こる要因はない。

問9～12 **精神**［統合失調症、統合失調症型障害および妄想性障害］

問9

解答 2、3

×1：両価性とは相反する感情が同時に出現すること。

○2：「テレビで自分の悪口を言っている」とあり、関係妄想がみられる。

○3：「立ち尽くし動こうとしない」とあり、昏迷がみられる。

×4：作為体験とは他人から動かされているように思い込む症状である。

×5：思考制止は考えが出てこない、思考の流れが渋滞するなどの症状で、うつ病にみられる。

問10

解答 4

×1：任意入院は、本人の意思による入院である。

×2：応急入院は、精神保健指定医がただちに入院させる必要があると判断した場合、72時間に限り入院させることができる。

×3：措置入院は、自傷他害のおそれがある患者を強制的に入院させる。精神保健指定医2名以上の診察結果が一致していることが条件で、都道府県知事が決定する。

○4：家族の同意を得た入院なので、医療保護入院である。医療保護入院は、精神保健指定医が必要と認めた場合、患者本人の同意がなくても家族等の同意により入院させるもの。

×5：鑑定入院とは、裁判所が精神鑑定（精神疾患があるかどうか判断する）を要すると認めた触法精神障害者を、原則2か月を限度に指定医療機関に入院させて精神鑑定を行うものである。その鑑定結果を踏まえて、入院治療ないしは通院治療を命じるか、それらの不必要を決めることになっている。

問11

解答 2、4

×1：悪性症候群は、抗精神病薬投与中に突然生じることがある、最も重篤な副作用である。高熱、筋強剛（筋固縮）、血清CK（CPK）の上昇が起こり、死に至ることもある。

○2：ジストニアは投与後数日してから起こることが多い。頸部後屈や斜頸、嚥下障害、眼球上転、舌突出などが特徴である。

×3：ジスキネジアは6か月以上投与後に生ずることが多い。唇をすぼめる、舌を左右に動かす、口をもぐもぐさせる、口を突き出す、歯を食いしばる等の症状がみられる。

○4：アカシジアは静座不能症ともいう。強い不安・焦燥感があり、身体がむずむずして落ち着かず、じっとしていることができない状態のことをいう。

×5：口渇が強くなり、過度な飲水により水中毒になることがある。これは服用後数か月してから生ずる。

問12

解答 3、4

×1：今後、ジスキネジアや水中毒などが生ずる可能性がある。

×2：抗精神病薬は食欲が増え、肥満傾向になりやすい。過度なエネルギー摂取は控える。

○3：過度な飲水は低ナトリウム血症となるおそれがあるので、サインが出たときは受診する。

○４：心理教育とは本人・家族が疾患を正しく理解し、障害の結果もたらされる問題に対処できる方法を習得し、主体的に療養生活を営めるように支援することである。
×５：薬剤でコントロールができているので、復学は十分可能である。１年待つ必要はない。

問13～15　**在宅**［訪問看護制度の法的枠組み、終末期にある療養者］

問13
解答 4
×１、○４：WHO方式がん疼痛治療法において鎮痛薬使用の４原則がある。

- 経口的に
- 時間を決めて規則正しく
- 患者ごとの個別的な量で
- その上で細かい配慮を

×２：まず非オピオイド薬から開始する。
×３：精神的な苦痛に関しては、鎮痛補助薬として抗けいれん薬、抗不安薬、抗うつ薬、抗不整脈薬などを使う。
×５：第一目標は痛みに妨げられない夜間の睡眠、第二目標は安静時の痛みの消失、第三目標は体動時の痛みの消失である。最終的には平常の日常生活に近づけることが求められる。

問14
解答 1、4
○１、×２：がん末期は、介護保険の特定疾病に該当するので、介護保険制度は利用できる。
ただし、訪問看護サービスにおいては、医療保険からの給付となる。
×３：一般療養者が訪問看護サービスを受けるときは、原則週３回までが保険適用となる。がん末期においては、毎日、また、急変したときなど１日複数回訪問看護サービスを受けられる。
○４：訪問看護指示書は必ず必要である。
×５：24時間体制の支援もできる。

問15
解答 1
○１：シリンジの交換は訪問看護師が行う。
×２：持続注入である。
×３：突然の痛みに対しては、使用機器にボタンがついているのでそこを押し、早送りして一定量注入できる。
×４：留置針は１週間ごと交換が望ましい。
×５：入浴はできる。入浴時は留置針をいったん抜き、入浴後再挿入する。

視覚素材問題

問1 **疾病**［脳血管障害］

解答 3

×1、2、4、5　○3

右側に低吸収域像がみられ、右脳梗塞が疑われる。脳内出血は高吸収域像となり、白っぽくなる。硬膜外血腫では、高吸収域像となり、凸状の形となる。広範な右脳梗塞では左片麻痺となる。

問2 **基礎**［感染防止対策］

解答 4

×1、2、3、5　○4

装着方法の順番は以下のとおり。①擦式アルコール消毒薬で衛生的手洗い（ラビング法）。必要に応じてスラブ法。②マスクをする。③ガウンを着用する、首ひも、腰ひもを結ぶ。④ゴーグルまたはフェイスシールドを装着する。⑤手袋を装着する。

問3 **成人**［胸腔ドレナージ］

解答 2

×1、3、4、5　○2

CT上、左肺野に気胸が認められる。呼吸困難や胸痛の訴えは自然気胸によるものである。

ただちに胸腔内ドレーンを挿入し、脱気を図る。

問4 **成人**［循環機能障害のある患者の看護］

解答 3

×1、2、4、5　○3

心胸郭比（CTR）の計算は、$\frac{a}{b} \times 100$ で求められる。

$\frac{16.5}{34} \times 100 = 48.5\%$

高血圧症が助長すると、心不全が合併することがあるので、自覚症状や心胸郭比などをチェックする必要がある。CTR50％以上が異常である。この男性は、現時点では心拡大はみられないが、軽度の症状があることから、留意する必要がある。

問5～8 **成人**［脳・神経機能障害のある患者の看護］

問5

解答 3

×1、2、4、5：意識レベルを評価するスケールとして、ジャパン・コーマ・スケール（JCS）が用いられる。JCSの分類は表のとおりである。

○3：入院直後は、呼びかけに反応なく、痛み刺激で払いのける動作がみられたので、JCSでⅢ－100である。

Ⅰ　刺激しないでも覚醒している状態（1桁で表す）	
1	だいたい清明だが、今ひとつはっきりしない
2	見当識障害がある
3	自分の名前、生年月日が言えない
Ⅱ　刺激すると覚醒するが、刺激をやめると眠り込む状態（2桁で表す）	
10	普通の呼びかけで容易に開眼する
20	大きな声または身体を揺さぶることにより開眼する
30	痛み刺激を加えつつ呼びかけを繰り返すと、かろうじて開眼する
Ⅲ　刺激をしても覚醒しない状態（3桁で表す）	
100	痛み刺激に対し、払いのけるような動作をする
200	痛み刺激で少し手足を動かしたり、顔をしかめる
300	痛み刺激に反応しない
※　必要時、患者の状態をアルファベットで付記する。R：不穏、I：失禁、A：自発性喪失など。記入例）JCS10- Aなど	

問6

解答 2

×1：正常洞調律の波形である。

○2：設問文から「血栓ができやすい」という文言があり、脈拍数は不整であること、また、バビンスキー反射陽性であることから、血栓が血流に乗って流れ、脳塞栓症を起こした可能性がある。血栓ができやすい不整脈として心房細動が疑われる。

×3：心室細動の波形である。心拍出がなくなる。ただちに除細動を行う。

×4：2度房室ブロックのウェンケバッハ型の波形である。PQ間隔が徐々に延長し、QRS波が脱落する。血栓ができやすくなるわけではない。経過観察で良い。

×5：1度房室ブロックの波形である。経過観察で良い。

問7

解答 1、3

○1：左中大脳動脈が閉塞されている。

×2：大脳の左半球には言語野があり、障害されている可能性が高い。

○3：バビンスキー反射が陽性であり、中大脳動脈の閉塞であることから錐体路障害が疑われる。

×4：脳梗塞であり、CTでは黒っぽくみえる低吸収域像となる。高吸収域像は白っぽくみえ、脳内出血でみられる。
×5：片麻痺は右側となる。

問8
解答 2、3

×1：rt-PA（アルテプラーゼ）療法とは、遺伝子組み換えによってつくられた組織プラスミノゲン活性化因子を静脈注射し、血栓を溶かす治療である。強力な効果がある反面、出血をもたらす危険性があるので、厳密な薬用量が設定されている。0.6mg/kg で投与するので、体重測定が必要である。体重測定機能付きベッドや、電動昇降リフト付き体重計などで測定する。
○2：発作時転倒した時に打撲傷を作っていないか確認する。
○3：指示された量をシリンジポンプに充填させるが、複数の目でチェックする。
×4：末梢静脈から持続点滴する。総量の10%を1～2分で投与し、残り90%を1時間かけて点滴投与する。
×5：特に注意しなければならないのは頭蓋内出血であり、観察は、開始から1時間は15分ごと、1～7時間は30分ごと、7～24時間は1時間ごととする。バイタルサイン、意識レベル、瞳孔径、対光反射などの観察を行う。

問9 **成人**［感覚機能障害のある患者の看護］
解答 2

×1：外耳炎は外耳道の炎症で起こるものである。光源付ペンスコープ型耳鏡で腫脹や発赤が認められる。聴力障害は伴わない。
○2：メニエール病は回転性めまいが特徴的である。内リンパ水腫が起きることが原因と言われている。メニエール病は低音域が障害される感音性難聴が特徴的である。
×3：真珠腫性中耳炎とは、鼓膜の一部が中耳側（内側）へ、へこんでいき、そこに耳垢などが溜まり塊となってしまう。それが真珠のように見えるためこのような病名がついている。無症候性に進行し、骨が破壊され伝音性難聴や顔面神経麻痺などが起きてくる。
×4：騒音性難聴は4000Hz 以上の高音域の聴力が低下する。
×5：良性発作性頭位めまい症は、内耳の卵形嚢にある耳石がはがれ三半規管に入り込んでしまう。そのため、実際には頭は動いていないのに内耳から「動いている」と脳に信号が送られてしまう。10～20秒程のめまいである。一般的には難聴にはならない。

オージオグラムの見方

縦軸：dB
横軸：Hz
○―○：右気導聴力　　×…×：左気導聴力
［：右骨導聴力　　］：左骨導聴力
- 伝音性難聴では、気導聴力は上昇、骨導聴力は正常
- 感音性難聴では、気導聴力・骨導聴力ともに上昇

※上昇とは、dB（音の大きさ）が大きくないと聞こえない、ということ

問10 **成人**［消化・吸収機能障害のある患者への看護］12
解答 2

×1、3、4、5　○2
画像の矢印が指す病変が位置するのは肝臓である。肝細胞がんの画像検査では、腹部超音波検査や造影CT検査、MRI 検査などが行われる。

解答一覧

必修問題

問	解　答
1	4
2	5
3	2
4	5
5	2
6	4
7	2
8	3
9	4
10	2
11	3
12	2
13	3
14	1
15	1
16	2
17	5
18	4
19	5
20	2
21	5
22	4
23	4
24	3
25	3

5肢択一問題

問	解　答
1	2
2	2
3	4
4	1
5	3
6	4
7	4
8	5
9	2
10	2
11	4
12	5
13	5
14	2
15	3
16	4
17	5
18	3
19	4
20	1
21	4
22	2
23	1
24	2
25	3
26	3
27	1
28	2
29	3
30	4
31	4
32	5
33	1
34	4
35	3
36	1
37	1
38	5
39	3
40	1
41	5
42	4
43	4
44	4
45	4
46	1
47	3
48	2
49	1
50	3
51	3
52	2
53	1
54	2
55	3
56	4
57	2
58	2
59	5
60	4
61	4
62	4
63	2
64	4
65	5
66	1
67	5
68	5
69	4
70	2
71	4
72	1
73	1
74	3
75	3
76	1
77	3
78	4
79	2
80	2
81	5
82	3
83	3
84	3
85	1
86	2
87	1
88	2
89	4
90	1
91	2
92	4
93	3
94	4
95	2
96	4
97	4
98	4
99	4
100	2

5肢択二問題

問	解　答
1	1、5
2	2、4
3	1、4
4	1、3
5	3、4
6	1、3
7	3、5
8	2、3
9	1、4
10	2、5
11	2、5
12	3、5
13	2、5
14	3、5
15	1、4
16	2、5
17	2、3
18	1、4
19	3、4
20	1、2
21	3、5
22	2、3
23	1、2
24	1、5
25	1、3
26	1、3
27	1、4
28	3、4
29	2、4
30	2、3
31	3、5
32	1、5
33	3、4
34	3、4
35	3、4
36	1、5
37	3、4
38	3、4
39	2、4
40	1、3
41	2、5
42	1、4
43	2、5
44	1、4
45	1、3
46	1、5
47	1、4
48	4、5
49	3、5
50	4、5
51	1、2
52	3、4
53	1、5
54	3、5
55	3、5
56	2、4
57	1、5
58	3、4
59	3、5
60	3、4
61	2、3
62	1、3
63	4、5
64	2、5
65	2、3
66	3、5
67	2、4
68	2、4
69	1、5
70	2、4
71	3、4
72	1、4
73	3、4
74	1、3
75	1、5
76	1、4
77	1、4
78	1、5
79	3、4
80	3、5
81	2、5
82	3、4
83	2、3
84	3、5
85	3、5
86	2、4
87	2、4
88	3、5
89	3、4
90	2、5
91	1、5
92	1、5
93	2、3
94	2、3
95	3、5
96	4、5
97	4、5
98	3、4
99	3、5
100	1、2

状況設定問題

問	解　答
1	3、4
2	3
3	3、5
4	3
5	1、5
6	3、5
7	2
8	2、4
9	2、3
10	4
11	2、4
12	3、4
13	4
14	1、4
15	1

視覚素材問題

問	解　答
1	3
2	4
3	2
4	3
5	3
6	2
7	1、3
8	2、3
9	2
10	2

解答用紙

※切り取るかまたはコピーしてお使いください

Ⅰ 必修問題

問	
1	①②③④⑤
2	①②③④⑤
3	①②③④⑤
4	①②③④⑤
5	①②③④⑤
6	①②③④⑤
7	①②③④⑤
8	①②③④⑤
9	①②③④⑤
10	①②③④⑤
11	①②③④⑤
12	①②③④⑤
13	①②③④⑤
14	①②③④⑤
15	①②③④⑤
16	①②③④⑤
17	①②③④⑤
18	①②③④⑤
19	①②③④⑤
20	①②③④⑤
21	①②③④⑤
22	①②③④⑤
23	①②③④⑤
24	①②③④⑤
25	①②③④⑤

Ⅱ 5肢択一問題

問	
1	①②③④⑤
2	①②③④⑤
3	①②③④⑤
4	①②③④⑤
5	①②③④⑤
6	①②③④⑤
7	①②③④⑤
8	①②③④⑤
9	①②③④⑤
10	①②③④⑤
11	①②③④⑤
12	①②③④⑤
13	①②③④⑤
14	①②③④⑤
15	①②③④⑤

問	
16	①②③④⑤
17	①②③④⑤
18	①②③④⑤
19	①②③④⑤
20	①②③④⑤
21	①②③④⑤
22	①②③④⑤
23	①②③④⑤
24	①②③④⑤
25	①②③④⑤
26	①②③④⑤
27	①②③④⑤
28	①②③④⑤
29	①②③④⑤
30	①②③④⑤
31	①②③④⑤
32	①②③④⑤
33	①②③④⑤
34	①②③④⑤
35	①②③④⑤
36	①②③④⑤
37	①②③④⑤
38	①②③④⑤
39	①②③④⑤
40	①②③④⑤
41	①②③④⑤
42	①②③④⑤
43	①②③④⑤
44	①②③④⑤
45	①②③④⑤
46	①②③④⑤
47	①②③④⑤
48	①②③④⑤
49	①②③④⑤
50	①②③④⑤
51	①②③④⑤
52	①②③④⑤
53	①②③④⑤
54	①②③④⑤
55	①②③④⑤
56	①②③④⑤
57	①②③④⑤
58	①②③④⑤

問	
59	①②③④⑤
60	①②③④⑤
61	①②③④⑤
62	①②③④⑤
63	①②③④⑤
64	①②③④⑤
65	①②③④⑤
66	①②③④⑤
67	①②③④⑤
68	①②③④⑤
69	①②③④⑤
70	①②③④⑤
71	①②③④⑤
72	①②③④⑤
73	①②③④⑤
74	①②③④⑤
75	①②③④⑤
76	①②③④⑤
77	①②③④⑤
78	①②③④⑤
79	①②③④⑤
80	①②③④⑤
81	①②③④⑤
82	①②③④⑤
83	①②③④⑤
84	①②③④⑤
85	①②③④⑤
86	①②③④⑤
87	①②③④⑤
88	①②③④⑤
89	①②③④⑤
90	①②③④⑤
91	①②③④⑤
92	①②③④⑤
93	①②③④⑤
94	①②③④⑤
95	①②③④⑤
96	①②③④⑤
97	①②③④⑤
98	①②③④⑤
99	①②③④⑤
100	①②③④⑤

キリトリ✂

Ⅲ 5肢択二問題

問	
1	①②③④⑤
2	①②③④⑤
3	①②③④⑤
4	①②③④⑤
5	①②③④⑤
6	①②③④⑤
7	①②③④⑤
8	①②③④⑤
9	①②③④⑤
10	①②③④⑤
11	①②③④⑤
12	①②③④⑤
13	①②③④⑤
14	①②③④⑤
15	①②③④⑤
16	①②③④⑤
17	①②③④⑤
18	①②③④⑤
19	①②③④⑤
20	①②③④⑤
21	①②③④⑤
22	①②③④⑤
23	①②③④⑤
24	①②③④⑤
25	①②③④⑤
26	①②③④⑤
27	①②③④⑤
28	①②③④⑤
29	①②③④⑤
30	①②③④⑤
31	①②③④⑤
32	①②③④⑤
33	①②③④⑤
34	①②③④⑤
35	①②③④⑤
36	①②③④⑤
37	①②③④⑤
38	①②③④⑤
39	①②③④⑤
40	①②③④⑤
41	①②③④⑤
42	①②③④⑤
43	①②③④⑤
44	①②③④⑤
45	①②③④⑤
46	①②③④⑤
47	①②③④⑤
48	①②③④⑤
49	①②③④⑤
50	①②③④⑤

問	
51	①②③④⑤
52	①②③④⑤
53	①②③④⑤
54	①②③④⑤
55	①②③④⑤
56	①②③④⑤
57	①②③④⑤
58	①②③④⑤
59	①②③④⑤
60	①②③④⑤
61	①②③④⑤
62	①②③④⑤
63	①②③④⑤
64	①②③④⑤
65	①②③④⑤
66	①②③④⑤
67	①②③④⑤
68	①②③④⑤
69	①②③④⑤
70	①②③④⑤
71	①②③④⑤
72	①②③④⑤
73	①②③④⑤
74	①②③④⑤
75	①②③④⑤
76	①②③④⑤
77	①②③④⑤
78	①②③④⑤
79	①②③④⑤
80	①②③④⑤
81	①②③④⑤
82	①②③④⑤
83	①②③④⑤
84	①②③④⑤
85	①②③④⑤
86	①②③④⑤
87	①②③④⑤
88	①②③④⑤
89	①②③④⑤
90	①②③④⑤
91	①②③④⑤
92	①②③④⑤
93	①②③④⑤
94	①②③④⑤
95	①②③④⑤
96	①②③④⑤
97	①②③④⑤
98	①②③④⑤
99	①②③④⑤
100	①②③④⑤

Ⅳ 状況設定問題

問	
1	①②③④⑤
2	①②③④⑤
3	①②③④⑤
4	①②③④⑤
5	①②③④⑤
6	①②③④⑤
7	①②③④⑤
8	①②③④⑤
9	①②③④⑤
10	①②③④⑤
11	①②③④⑤
12	①②③④⑤
13	①②③④⑤
14	①②③④⑤
15	①②③④⑤

Ⅴ 視覚素材問題

問	
1	①②③④⑤
2	①②③④⑤
3	①②③④⑤
4	①②③④⑤
5	①②③④⑤
6	①②③④⑤
7	①②③④⑤
8	①②③④⑤
9	①②③④⑤
10	①②③④⑤

キリトリ✂

正解数

必修問題
／25問

5肢択一問題
／100問

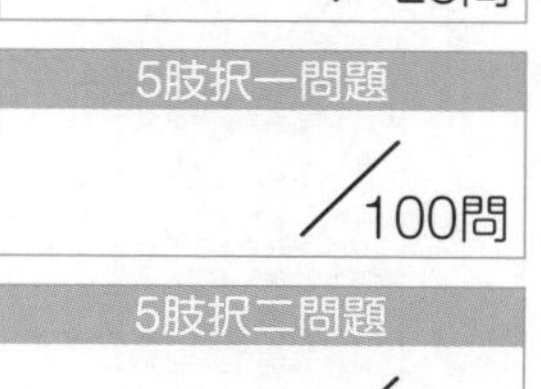

5肢択二問題
／100問

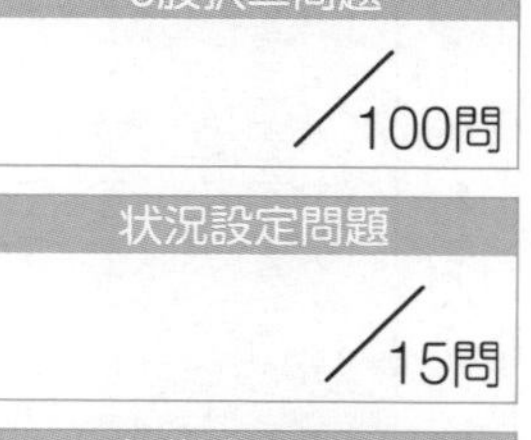

状況設定問題
／15問

視覚素材問題
／10問

別冊 看護師国家試験パーフェクト！ **ぜんぶ5肢！の予想問題集** **第5版**

2010年11月10日　第１版第１刷発行
2011年７月11日　第２版第１刷発行
2017年11月27日　第３版第１刷発行
2020年４月３日　第４版第１刷発行
2022年４月８日　第５版第１刷発行

編　集　メヂカルフレンド社編集部
発行人　小 倉 啓 史
発行所　株式会社 メヂカルフレンド社
東京都千代田区九段北３丁目２番４号
〒102-0073 麹町郵便局私書箱第48号
電話(03) 3264-6611 振替 00100-0-114708
https://www.medical-friend.co.jp

Printed in Japan
乱丁，落丁本はお取替えいたします．

印刷／大日本印刷（株）　製本／（有）井上製本所
303007-147

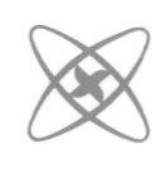